À mes chers petits
enfants, le livre pour
vous dire pourquoi
on fête Noël

Flamatt novembre 1996

Grand Maman

JÉSUS,
LE FILS DU CHARPENTIER

BERNARD CLAVEL

JÉSUS,
LE FILS DU CHARPENTIER

ROBERT LAFFONT

ISBN 2-221-08200-1

Sache qu'il faut aimer, sans faire la grimace,
Le pauvre, le méchant, le tortu, l'hébété,
Pour que tu puisses faire à Jésus, quand il passe,
Un tapis triomphal avec ta charité.

Baudelaire

Première partie

Le Divin Enfant

1

Depuis quatre jours, le soleil était entré dans le domaine du Bélier. Le printemps s'annonçait déjà. Il vient souvent très tôt en Palestine, mais sur les hauteurs de Jérusalem l'air des matins reste frais. L'aube était rose derrière les collines et, du fond de la vallée, montait une brume bleutée où les ombres des rochers plaquaient encore de larges taches de nuit. Marie sortait de la maison pour aller puiser de l'eau. Elle portait deux grosses seilles de bois. C'était une belle brune d'une vingtaine d'années, bien faite, avec beaucoup de douceur dans ses yeux sombres. Elle se dirigeait vers la rue lorsqu'un homme entra dans la cour. Il se trouvait à l'ombre de la bâtisse où l'on remisait le char et les outils. Il était à l'ombre et, pourtant, Marie eut l'impression que son corps et son visage se trouvaient éclairés comme si un rai de soleil eût percé la toiture pour tomber sur lui. Seulement sur lui. Trois pas le firent sortir de l'ombre et la curieuse impression s'évanouit. Marie pensa qu'elle avait mal vu.

L'homme était vêtu d'une sorte de manteau bleu délavé, déchiré en plusieurs endroits. Ses pieds nus étaient ceux d'un être habitué à beaucoup marcher. Il portait une barbe presque blanche, des cheveux très longs aussi lumineux que sa barbe. Son visage brûlé de soleil souriait. D'une voix douce, il dit :

— Bonjour, Marie.

— Bonjour, mendiant... Comment sais-tu que je m'appelle Marie ?

Il hocha la tête. Son sourire se fit différent. Comme ombré de gravité.

— Je ne suis pas mendiant, même si je ne possède pas grand-chose. Quant à ton nom, je le sais comme je sais bien d'autres choses. Par exemple, que tu es fille de Joachim et d'Anne ; que tes parents sont absents et qu'ils t'ont toujours recommandé de ne jamais laisser un étranger pénétrer dans la maison quand tu es seule.

— C'est vrai, murmura Marie qui se sentait un peu troublée.

— Eh bien, tu vas tout de même me laisser entrer et tu me verseras de l'eau. J'ai très soif.

Marie montra les deux seilles vides qu'elle avait posées à terre.

— L'eau, j'allais justement en puiser.

— Je sais, mais il en reste dans une autre seille... Allons, viens.

Un peu effrayée, Marie eût aimé résister, mais une force qu'elle ne pouvait dominer la poussa sur les pas de l'étranger qui entra dans la maison sans hésiter. Comme il se trouvait dans la pénombre, la lueur qui avait étonné Marie se mit de nouveau à sourdre de ses vêtements et de sa chevelure. Il s'assit sur le banc, posa son coude gauche sur la table et se présenta :

— Je me nomme Gabriel et je suis un messager de Dieu.

Il parlait calmement, comme s'il eût annoncé qu'il venait vendre des olives ou du froment. Marie eût aimé lui lancer qu'il ne devait pas profiter de son jeune âge pour se moquer d'elle, mais la même force qui l'avait poussée à suivre ce mendiant l'empêchait de parler.

— Allons, Marie, ne te trouble pas et donne-moi de l'eau.

Elle alla puiser et posa le gobelet ruisselant devant l'homme en bredouillant :

— Elle n'est pas très fraîche... Si tu m'avais laissée aller au puits, ce serait meilleur...

Il leva sa main qui était longue et sema dans l'air comme une poussière de lumière. Il la laissa retomber sur la table dont le vieux bois luisant fut un instant comme habité d'un reflet de ciel clair. Il but longuement puis, fixant Marie comme pour pénétrer en elle, il se mit à parler lentement.

— Marie, je te salue car tu es bénie entre toutes les femmes. Dieu t'a choisie pour que tu deviennes la mère de son Fils !

Marie eut soudain l'impression que le sol de terre battue allait se dérober sous ses pieds.

Celui qu'elle continuait à tenir pour un quêteux venait de mettre un genou en terre et d'incliner devant elle sa tête nimbée de soleil. Se redressant et voyant à quel point elle semblait émue, il lui toucha le bras du bout de ses doigts maigres.

— Oui, Marie, dans neuf mois tu donneras le jour à celui que tout le monde attend : le Messie, et tu le nommeras Jésus.

— Mais enfin, fit la jeune femme qui se reprenait un peu, comment pourrais-je être mère alors que je n'ai connu aucun homme ?

— Par l'opération du Saint-Esprit.

Remuant à peine les lèvres, Marie, dont la pâleur soudaine ne semblait pas inquiéter Gabriel, murmura :

— Le Saint-Esprit... Le Saint-Esprit...

Et sa main se posa sur son ventre.

— Oui, ajouta Gabriel, le Saint-Esprit est descendu en toi.

Le visage de Marie se crispa soudain et des rides apparurent sur son front. Son regard s'assombrit.

— Mais, protesta-t-elle d'une voix qui tremblait un peu, je suis promise à Joseph, le maître charpentier.

— Je sais. Joseph a largement l'âge d'être ton père. Mais c'est toi qui l'as choisi et tu as eu raison, car Joseph sera un bon époux et il saura aimer ton fils.

— Il sera furieux !

— Ne crains rien, Joseph n'est pas un être de

colère. C'est un homme de bonté... Charpentier de son état, et bien qu'il ne soit pas riche, il a toujours refusé les travaux qui sont le déshonneur de l'homme et qui souillent ses outils...

Gabriel se tut. Sa main montra le gobelet vide.

— Donne-moi encore un peu d'eau, s'il te plaît.

Marie alla de nouveau puiser à la seille qui semblait toute neuve. Elle la montra à Gabriel avec fierté :

— Regarde, c'est lui qui l'a faite.

— Elle est très belle. Elle doit être solide.

Gabriel vida son gobelet, se leva en déclarant :

— Je vais de ce pas parler à Joseph.

Il sortit et Marie le suivit.

Le soleil était déjà haut dans le ciel et Gabriel ne passa pas dans l'ombre de la grange. Il se retourna pour adresser un signe de la main à Marie et monta la ruelle d'un bon pas. Adossée au pilier du portail, Marie le suivit des yeux. Il allait sans se retourner, saluant d'un petit geste les gens qu'il rencontrait.

Il était encore loin de l'angle où elle s'attendait à le voir tourner, lorsqu'elle eut l'impression qu'il devenait transparent. Marie se frotta les yeux. Elle regarda plus intensément. L'homme qui continuait de s'éloigner était à peine visible. On eût dit qu'il se fondait dans une clarté pareille à celle qui enveloppait son corps.

Marie soupira profondément. Gabriel avait

disparu. Portant de nouveau sa main à son ventre, elle murmura en levant les yeux au ciel :

— Mon Dieu, qu'il soit fait selon votre volonté. Je suis votre humble servante.

Comme elle rentrait dans la cour, une colombe vint se poser sur le toit de la maison. Elle tenait en son bec un rameau d'olivier, probablement pour faire son nid. Marie pensa que c'était là un très bon présage.

2

Marie était encore toute bouleversée par la visite de Gabriel lorsque, depuis la maison où elle s'était assise face à la porte grande ouverte, elle vit Joseph entrer dans la cour d'un pas pressé. Elle eut peur un instant puis, pensant aux paroles du mendiant, elle se leva et marcha jusqu'au seuil avec sérénité. Une sensation étrange l'habitait. Un peu comme une lueur chaude et pareille à un germe de vie.

Joseph approchait en souriant. C'était un homme dans la cinquantaine, encore solide et qui se tenait bien droit. Ses cheveux et sa barbe châtains étaient à peine semés de quelques fils blancs. Ses bras nus et bronzés étaient musclés. Ses tendons et ses veines saillantes exprimaient une belle force saine puisée dans le travail acharné qu'il menait depuis ses années d'enfance.

Il s'arrêta à trois pas de Marie qu'il contempla comme s'il la voyait pour la première fois. Ses grosses mains se levèrent lentement et se joignirent à hauteur de sa poitrine. Ses yeux clairs luisaient beaucoup plus que d'habitude. Sa barbe remuait car son menton devait se plisser. Tout son visage était tendu pour contenir ses sanglots. Ses paupières battirent très vite et deux grosses larmes tombèrent sur sa barbe où elles demeurèrent accrochées un instant comme deux gouttes de soleil.

Bouleversée, Marie balbutia :

— Joseph, ne pleure pas, je n'ai rien fait de mal...

Il l'interrompit. Il avait une grosse voix légèrement rocailleuse :

— Mais c'est la joie, Marie... Je sais que tu es pure. Et ce messager du Tout-Puissant a le regard d'un homme qui ne saurait mentir.

Il ouvrit ses bras et Marie se blottit contre lui. Ils se mirent tous deux à rire et à pleurer en même temps.

Lorsqu'ils furent plus calmes, ils entrèrent dans la maison. Le charpentier alla s'asseoir sur le banc où Gabriel avait pris place. Lui aussi demanda à boire. Il demanda également du pain et des olives noires :

— Tant d'émotion creuse l'estomac.

Allant puiser de l'eau, Marie lui dit :

— Cet envoyé du ciel a trouvé que tes seilles de bois sont très belles.

Joseph hocha la tête. Il semblait s'être absenté de l'instant.

— Tu vas avoir une visite, annonça-t-il.

— Une visite ?

— Oui, c'est lui qui me l'a appris. Il paraît que ta vieille cousine Élisabeth, tu sais, la femme de Zacharie qui prêche à Hébron, va aussi avoir un enfant.

— Élisabeth ? Mais elle est très vieille. Elle n'a jamais pu être mère.

— Il paraît que c'est fait. Ton mendiant me l'a garanti, et il paraît qu'elle est en route pour venir nous visiter.

Comme Marie semblait incrédule, Joseph se mit à rire. Passant sa grosse patte dans sa barbe, il ajouta :

— Tout de même, tu es étrange. Ça t'étonne à peine d'être porteuse d'un enfant tout en étant vierge, mais tu as du mal à croire que ta cousine soit mère alors qu'elle a un mari ! Vraiment, tu es une curieuse personne !

3

Quelques jours passèrent dans le calme de cette belle lumière qui semblait monter des oliviers et des champs de lavande autant qu'elle ruisselait d'un ciel limpide où de grands vols d'oiseaux ramaient vers le nord. Sans pour autant négliger son travail, Joseph s'activait pour hâter les formalités du mariage.

Rentrés de la campagne où ils étaient allés travailler quelques journaux de terre, les parents de Marie s'étaient étonnés de ce que leur fille leur apprenait. Cette histoire de déguenillé lumineux et beau parleur ne disait rien de bien bon pas plus à Joachim qu'à son épouse.

— Pourtant, observait Anne, notre fille est sérieuse. Et je ne pense pas que ce brave Joseph nous joue pareille comédie. Ce n'est pas son genre.

— Non, fit le père en fronçant ses épais sourcils noirs. Mais Joseph n'est pas le seul homme de Nazareth.

Anne eut un haut-le-corps.

— Comment, tu penserais que ta fille...

— Ma fille ! ma fille ! qui est aussi la tienne...

— Justement ! Et enfin, puisque Joseph a vu lui aussi ce vagabond qui a l'air d'être au soleil même quand il passe à l'ombre.

— Le vagabond a bon dos. Et puis, tu sais bien comme Joseph est bon. Rien qu'à le voir pencher la tête quand il contemple Marie...

Les deux époux étaient dans la maison où Anne montait les laines sur son métier à tisser. Elle posa un écheveau que, dans son énervement, elle avait laissé filer et qui risquait de s'emmêler. Elle s'approcha de son homme et dit d'une voix où perçait une pointe d'angoisse :

— Tu penses vraiment que Joseph pourrait...

— Joseph est la bonté même. De plus, il est très épris de Marie. Ils sont promis. Aux yeux de la loi, c'est comme s'ils étaient mariés. Donc, s'il est reconnu qu'elle a fauté, elle peut être punie de mort... Pour la sauver, je crois Joseph capable de tout.

Durant plusieurs jours, les parents de Marie demeurèrent dans l'inquiétude. Chaque fois que leur fille s'absentait, ils recommençaient à parler de ce qui leur ôtait le sommeil.

Il en fut ainsi jusqu'au soir où la cousine Élisabeth arriva. Zacharie, son époux, qui était prêtre à Hébron, l'accompagnait. Il y eut des embrassades dans la cour et les deux hommes, libérant les mules de leur harnachement et de leur bât, les conduisirent à l'écurie pour leur donner à boire et à manger. Il leur fallut du temps, car le vieux Zacharie ne voulait pas faire boire ses bêtes sans avoir coupé menu sur l'eau de la paille.

— Tu comprends, expliquait-il, elles ont chaud et soif, si tu mets de la paille, ça leur pique le nez et ça les empêche de boire trop vite.

— Tu as sûrement raison... tu vois, on apprend à tout âge, même pour des choses qu'on croit connaître.

Les deux hommes sortaient de l'écurie lorsqu'ils entendirent Élisabeth qui poussait des cris de joie. Sa voix aiguë et chevrotante semblait devoir s'étrangler à chaque mot.

Ils traversèrent la cour le plus vite possible et entrèrent dans la maison.

Un peu éblouis parce qu'ils venaient du dehors où la lumière du soir était encore vive, ils furent étonnés de voir la vieille Élisabeth agenouillée devant Marie, joignant les mains et répétant :

— Il a tressailli dans mon ventre. Jamais encore mon petit n'avait remué de la sorte. Il a suffi que je touche du bout des doigts le ventre de Marie pour qu'il se réveille. C'est la preuve... C'est bien la preuve.

Sa voix se fit plus douce. Baissant la tête et posant son front sur ses mains fermées, elle poursuivit encore :

— Marie, tu es bénie. Tu as été choisie entre toutes les femmes pour donner au monde un

Die 13jährige Ha So Kong
lauschte dem Changgo-Spieler
mit der Trommel,
die wie eine Sanduhr geformt ist.

KOREAN RELIEF · GEMEINDESTRASSE 26 · 8032 ZÜRICH

Alice et
Guillaume
en Amérique

Gros bisous
de grandmaman
qui vous aime
et pense a vous
chaque jour

Sauveur... Le fruit de tes entrailles est béni. Gloire à toi, Marie, femme entre toutes les femmes. Gloire à toi, la vierge que le Saint-Esprit a élue.

Voyant qu'elle vacillait un peu, les deux hommes l'aidèrent à se relever et la firent asseoir le dos à l'âtre où flambait du bois de taille des oliviers. On lui donna de l'eau, et Anne qui était le bon sens en personne dit :

— C'est bien. Marie va donner au peuple d'Israël un Sauveur. Mais pour l'heure, Élisabeth me paraît très fatiguée. J'ai une bonne soupe qui cuit depuis un moment. Nous allons manger et vous irez dormir. Car je sais que vous êtes en route depuis bien des jours.

Il n'y avait que de la soupe et du pain. Mais aussi un peu de vin. On s'empressa d'aller chercher Joseph et ce fut un vrai repas de fête.

4

Les cousins de Hébron repartirent assez vite. Marie et Joseph se marièrent, et Marie s'en fut habiter chez le charpentier. Elle ne faisait guère que cuire la soupe, entretenir le feu et donner du grain aux poules. Joseph lui interdisait d'aller à la fontaine, de porter du bois, de bêcher le jardin et de soigner les ânes.

— Ce sont de bonnes bêtes, disait-il, mais on ne sait jamais. Une mouche qui les énerve ... Un accident est vite arrivé.

Marie souriait, mais elle se laissait dorloter par Joseph dont la bonté était bien connue dans cette ville où on l'estimait beaucoup pour son grand cœur.

Dans le quartier où ils vivaient, quelques mauvaises langues battaient un peu. On racontait qu'un ange descendu du ciel était venu, à la manière d'une cigogne, se poser sur la terrasse de Joseph pour lui raconter une histoire à dormir debout. Inévitablement, des âmes charitables, sous couvert d'amitié, vinrent rapporter ces propos au vieux charpentier qui se mit à rire :

— Laissez-les clabauder. C'est vrai, je suis plus vieux que Marie, mais j'ai assez de force pour être un bon père.

— Tu es vieux, approuvait Marie, mais tu as davantage de jeunesse dans le cœur que bien des garçons de vingt ans.

Certains allaient jusqu'à affirmer que Joseph ne partageait pas le lit de sa femme. Ça ne prouvait rien. Tout le monde connaît des hommes qui refusent de coucher avec leur épouse durant leur grossesse.

Joseph allait sa vie sans se soucier des commérages. Et sa vie, c'était le travail du bois. La charpente surtout, mais aussi la menuiserie à la grande et à la petite cognée. Il s'entendait aussi bien à bâtir et couvrir une maison qu'à fabriquer une huche à pain, une maie, une table et ses bancs, un lit, un coffre ou un métier à tisser. Quand on le complimentait sur la qualité de son travail, il souriait dans sa barbe, frottait l'une contre l'autre ses grosses mains qui faisaient un bruit de râpe, et lançait un regard vers un angle de son atelier. Son œil luisait de telle sorte qu'on voyait bien qu'il y avait dans cette direction quelque chose à découvrir.

Eh oui ! il y avait un berceau.

Les gens s'approchaient lentement, avec une sorte de vénération.

— Dites donc, il est bigrement beau !

— C'est curieux, j'avais acheté ce cèdre sur pied il y a bien longtemps. Je l'ai abattu moi-même, en lune dure, bien entendu, et en morte sève. Je l'ai débité. Remisé en le lochant soigneusement. Je le laissais sécher à l'ombre au fond de ma remise... Elle est très saine, vous savez, et bien aérée. Je me disais souvent : Tu devrais t'en servir. Et il y avait je ne sais quoi qui m'en empêchait.

Là, Joseph marquait toujours une pause dans son récit. Il fermait à demi les yeux et inclinait un peu la tête sur son épaule gauche. Revenant au berceau, il montrait la planche de tête. D'une gouge adroite et ferme, il y avait sculpté un grand J qui semblait planté sur une varlope. À droite, il y avait un marteau, à gauche des tenailles. Tout autour serpentait une tresse qui représentait des branches d'olivier portant leurs fruits.

— Et voilà, à présent, je sais ce qui me retenait. Je sentais qu'un jour il me viendrait un fils et qu'il lui faudrait un beau berceau.

Si on lui demandait :

— Un fils, un fils, et si c'était une fille ?

Le regard de Joseph se durcissait un peu. Son grand front se plissait. D'une voix ferme, un peu sourde, comme s'il eût redouté d'être entendu de la rue, il répliquait :

— Ce sera un garçon... On le nommera Jésus et il sera charpentier comme moi !

5

L'été passa, puis vint un bel automne doré et chaud. Joseph était heureux, car il possédait une petite vigne qu'il vendangea dans de très bonnes conditions. Il se réjouissait d'avoir du vin pour fêter le premier anniversaire de son fils. Il se sentait plein de vie et tout rajeuni.

Puis vint le froid. De la pluie suivit un temps de mauvais brouillard. Marie toussa plusieurs fois et Joseph se levait la nuit pour lui faire boire de la tisane de bourrache ou de mauves.

Marie était heureuse de se sentir tant aimée.

Comme on approchait du solstice d'hiver, arriva une nouvelle qui mit bien du monde de mauvaise humeur. Les Romains ordonnaient un grand dénombrement. Ils voulaient qu'on fasse le compte exact de toutes les femmes, les hommes et les enfants habitant le pays. L'ordonnance exigeait qu'on aille se faire compter dans son village d'origine. Or, Joseph était originaire de Bethléem. En marchant bien et si la neige ne se mettait pas à tomber, il fallait compter, pour un âne solide, cinq longues journées. Le charpentier fit des pieds et des mains pour faire admettre qu'on ne peut se lancer dans pareille aventure avec une femme qui risque d'accoucher en route, les fonctionnaires bornés ne voulurent rien entendre.

— Vous irez, ou vous risquez la prison et une très forte amende !

Ayant entendu cela, Joseph regagna vite sa demeure pour annoncer la nouvelle à Marie. Ils partiraient à l'aube du lendemain.

— Nous nous joindrons à une caravane, et j'espère que nous arriverons à suivre, car tu sais que les chemins ne sont jamais sûrs.

La nuit tombait d'autant plus tôt que le ciel était bas et lourd, comme chargé de plomb. Un coup de bise glacée se leva au crépuscule pour fendre les nuées et planta sur les collines d'en face une longue épée de feu. Joseph qui sortait de son écurie, se tourna vers le couchant :

— Ce n'est pas bon présage.

Marie qui n'aimait pas le voir inquiet lança :

— Rougeur du soir emplit les abreuvoirs. Nous aurons de la pluie cette nuit, mais, demain, nos bêtes trouveront de quoi boire le long du chemin.

— Mon inquiétude ne vient pas seulement du ciel, tu le sais bien. Ce recensement ne me dit rien qui vaille !

Ils restèrent un moment à contempler le ciel. Les nuages pétris de vent dévoraient la longue plaie de lumière qui se déformait. Lorsque la dernière lueur s'éteignit, la nuit était presque là.

— Rentrons, fit Joseph, tu vas prendre froid.

Ils se dirigèrent vers leur maison basse que le charpentier avait édifiée à côté de son atelier. Par la porte restée ouverte, les lueurs du foyer venaient à leur rencontre, pareilles à une invite au bonheur du soir.

Le bonheur du soir, c'était souvent la meilleure heure de la journée. Celle où Joseph pouvait vraiment jouir de la présence de sa femme, tout en laissant s'endormir en ses membres la fatigue d'une besogne commencée bien avant l'aube. Le bonheur du soir, c'était un grand moment de paix dans cette unique pièce où se tenait l'essentiel de la vie de Marie. Car Joseph avait son domaine avec tout son outillage et sa réserve de bois, mais Marie passait ici, et dans le jardin, le plus clair de son temps. Il y avait la huche où elle pétrissait la pâte du pain qu'elle s'en allait cuire ensuite au four banal ; il y avait sa meule à farine et ce métier à tisser que Joseph avait dessiné et bâti à sa mesure.

Dans l'âtre où flambaient des bûches et des déchets de l'atelier, chauffait une marmite au ventre rebondi d'où montait une buée odorante.

— Demain soir, observa Joseph, qui sait où nous serons et si même nous aurons de quoi manger chaud ?

— Tu te fais du souci pour des riens, fit Marie

en souriant. J'ai déjà tout préparé. Sois tranquille, tu ne mourras pas de faim en chemin.

— Ce n'est pas pour moi que je suis inquiet. Mais tu es proche du terme. Si tu venais à accoucher en route, nous serions bien affligés.

— On n'est jamais affligé de mettre au monde l'enfant désiré.

Joseph la regarda un moment tandis qu'elle emplissait deux écuelles de soupe fumante. Ses gestes étaient toujours ronds, pleins de grâce et de douceur. Elle savait tout faire sans jamais se plaindre. À la voir ainsi, on éprouvait le sentiment que rien ne lui était jamais pénible. Joseph alla s'asseoir, étendit ses jambes en direction de l'âtre :

— J'ai bien réfléchi, nous partirons avec l'ânesse. Elle est plus douce que la mule. Tu y seras mieux. La mule portera les sacs.

— Mais je compte bien marcher.

— Tu marcheras un peu, mais pas tout le long. Il faudra suivre les autres. Je ne veux pas prendre le risque d'aller seul. Les détrousseurs guettent toujours les voyageurs isolés.

Ils mangèrent lentement. La soupe de fèves était épaisse. Marie y avait ajouté du lait de leurs chèvres. Elle demanda :

— Est-ce que tu as trouvé, pour garder nos bêtes ?

— Le vieil Hélie s'en occupera. Lui, il est originaire de Nazareth, il se fera recenser ici.

Joseph poussa un long soupir pour ajouter :

— Heureux ceux qui n'ont pas à accomplir ce long voyage pour satisfaire à l'humeur d'un étranger !

Marie qui venait de se lever pour emporter les écuelles les laissa sur le coin de la table et vint à côté de Joseph. Posant sa main sur sa nuque qu'elle caressa doucement, elle dit :

— Tu ne dois pas parler ainsi de ceux qui ont sur nous pouvoir de vie et de mort. Si on t'entendait, tu sais très bien ce qui nous arriverait.

Il leva les yeux vers elle et posa sa main sur la sienne.

— Ne crains rien, fit-il. Je ne suis pas fou.

Après une hésitation, avec un sourire qui éclairait ses traits, portant son regard sur le ventre de Marie, il ajouta avec beaucoup de force calme :

— Il ne pourra plus rien nous arriver de mal. Le fruit qui mûrit dans ton ventre est celui du bonheur. Il va éclairer notre vie. Il va illuminer ma vieillesse. Et quand je ne serai plus là pour te protéger, il sera grand et fort et, c'est lui qui te gardera de tous les dangers.

D'une voix à peine perceptible, il ajouta :

— Cet enfant éclairera le monde.

Marie souriait. Et les lueurs du foyer mettaient dans son regard des étincelles d'or pareilles à de minuscules étoiles palpitant au vent de nuit.

6

Le matin de leur départ, il faisait un froid vif et sec. La bise avait nettoyé le ciel. Une belle lumière limpide vernissait le sol et les arbres. Même les ombres des rochers semblaient habitées d'une douce clarté. Le pas des bêtes était sûr, comme si une belle force de joie les eût attirées vers le bout du chemin.

— Tu vois, fit Joseph, ton dicton paysan s'est trompé.

— On ne sait pas, il était peut-être en avance d'un jour ou deux.

En dépit de la fatigue promise, ils étaient d'assez bonne humeur. Habitués à vivre tous les deux, ils prirent de suite un certain plaisir à se trouver en compagnie d'autres gens. Toutes les familles qui composaient leur petite troupe étaient de condition modeste, mais avec le cœur sur la main. On s'aidait les uns les autres dans les passages pénibles et on mettait en commun les provisions. Deux couples avaient des chameaux, les sept autres des mules ou des ânes.

Comme tous ces animaux portaient des clarines, la caravane avait un petit air de fête. Marie marchait, puis montait sur l'ânesse, puis marchait de nouveau.

Le soir, ils firent halte dans une petite vallée abritée de la bise, en lisière d'un bois où ils montèrent deux grandes tentes en cuir. Un bon feu permit de cuire une soupe de blé. Une source sortait de terre sous un rocher, à la lisière du bois. Un vieillard s'émerveilla :

— C'est comme ça que j'imagine le paradis.

Le lendemain, au réveil, le vieil homme allait changer d'avis. Durant la nuit, le vent avait tourné à l'ouest, le ciel s'était chargé et, au moment où le jour pointait, une neige fine et serrée se mit à tomber. Comme leur chemin allait vers le sud, ils durent marcher avec cette neige qui leur piquait la joue droite et ce vent qui se coulait sous leurs vêtements. Marie qui grelottait devait souvent descendre de sa monture pour se réchauffer en marchant. Mais elle se fatiguait vite et son ventre lourd lui donnait beaucoup d'inquiétude. Elle avait fait la fière devant les craintes de Joseph, à présent, elle devait serrer les dents pour ne pas se plaindre.

— Nous allons retarder tout le monde, s'inquiétait-elle.

Le soir, elle s'adressa au vieil Albert qui avait pris la responsabilité de leur troupe :

— Ne vous souciez pas de nous. Allez devant.

Je me rends compte que je suis une charge pour vous tous.

Le vieil homme eut un bon sourire.

— Que ceux qui sont pressés filent au trot. Moi et mon épouse et notre fils, nous ne vous abandonnerons pas.

Personne ne voulut les quitter. Et ils continuèrent leur marche dans ce pays où chaque montagne, chaque colline escaladée à grand-peine en découvrait une autre.

Quand la neige cessait de tomber et que le ciel s'ouvrait, la blancheur les aveuglait. Les arbres ployaient sous leur charge d'hiver. Les bêtes qui allaient en tête peinaient beaucoup. Les hommes devaient les tenir ferme pour les empêcher de glisser car des ravins s'ouvraient à droite ou à gauche du sentier. Joseph tremblait à chaque passage dangereux et Marie, bien souvent, fermait les yeux, cramponnée des deux mains à la crinière de l'ânesse qui était vraiment une bien bonne bête.

Après sept étapes épuisantes, ils arrivèrent enfin à Bethléem, juste trois jours après le solstice d'hiver. Les journées étaient si sombres qu'elles semblaient prolonger les nuits. Ils se mirent en quête d'un toit. À chaque auberge où ils se présentèrent ce fut la même réponse :

— Montrez-nous votre argent !

Joseph ouvrait sa bourse où il n'y avait que quelques pièces. Les aubergistes haussaient les épaules et refermaient leur porte. Mais le temps de ces quelques propos échangés suffisait à montrer le grand feu où tournaient des broches, les tables mises, les gens en train de manger et de boire. Une bonne chaleur chargée d'odeurs qui vous mettaient l'eau à la bouche ruisselait jusque dans la rue où sifflait le vent glacé.

Bêtes et gens piétinaient dans la boue, glissaient dans les ornières de glace, peinaient pour traverser les congères. Le vieillard qui menait leur troupe s'indignait. Tant d'égoïsme le révoltait.

— Je voudrais avoir vingt ans et la force de cogner sur ces gens, grognait-il.

Joseph et Marie le calmaient comme ils pouvaient. Et tous continuaient leur quête car pas un n'avait de quoi payer le dixième de ce qu'on exigeait pour une bolée de soupe et un coin sec où dormir.

Ainsi, d'auberge en auberge, ils traversèrent Bethléem. Parvenus à l'autre bord de la petite cité où les lampes clignotaient, ils débouchèrent sur des prairies en pente dominées çà et là par d'énormes rochers. Le crépuscule s'avançait. Le ciel s'était éclairci et le vent du nord semblait aiguiser sa lame au flanc glacé des collines. Déjà quelques familles avaient quitté la caravane pour monter leur tente non loin des maisons ou se glisser dans des trous de la roche. Les autres hésitaient lorsqu'un berger parut qui poussait devant lui un bœuf énorme. Joseph s'approcha de lui.

— Tu as là une bien belle bête, fit-il.

— Oui. Et tranquille, douce, toujours prête à se mettre au travail.

— Où la mènes-tu ?

— À l'étable. Nous venons de la source où il faut casser la glace pour faire boire les troupeaux.

— Est-ce qu'il n'y aurait pas un peu de place, dans ton étable ?

L'homme regarda l'ânesse et la mule que suivaient d'autres bêtes.

— Pas pour tout ce monde-là.

Le vieil Albert s'avança.

— Aurais-tu de quoi loger une ânesse et un mulet ?

— Bien sûr que oui.

— Et pourrais-tu donner asile aussi à une femme qui commence à être dans les douleurs de l'enfantement ?

Le berger s'étonna. Il était jeune et solidement bâti. Son œil vif fixa un instant Marie et le charpentier.

— Oui, fit Joseph, ma femme va avoir un petit. Et nous sommes sans rien.

Le vieillard intervint :

— Écoute, berger : une brebis, tu ne la laisserais pas mettre bas dans la neige. Alors, une femme...

L'autre semblait médusé.

— Ça alors, fit-il, un enfantement dans mon étable, quelle affaire ! Venez... Venez vite !

Marie entrait. L'ânesse la suivait. S'adressant à Joseph, le pâtre conseilla :

— Pousse tes bêtes vers mon bœuf. Elles feront chaleur. La porte ferme mal, mais dans un moment, il fera tiède.

Le reste de la caravane s'éloignait, seule une vieille femme demeura pour venir en aide à Marie qui s'allongea sur la paille. Le berger, par discrétion, sortit en déclarant qu'il allait chercher de l'eau à la source.

— C'est loin. J'en ai pour un bon moment.

Joseph referma la porte derrière lui puis revint vers Marie et la vieille en soupirant :

— Quand je pense qu'on prétend que les bergers sont tous de mauvaises gens, voleurs et violents...

À cet instant, Marie poussa un grand cri. L'enfant était là. La vieille s'occupa tout de suite de le nettoyer et de le langer puis, avisant la mangeoire de bois, elle poussa le bœuf un peu plus loin, fit un bon lit de paille et coucha le bébé.

Joseph était en contemplation. Immobile, il admirait son fils que ses grosses mains n'osaient pas toucher.

7

Marie était toujours allongée sur la paille. La vieille, assise à côté de la crèche où dormait le bébé s'entretenait à voix basse avec Joseph. Entre eux, une lampe à huile brûlait dont la flamme vacillante éclairait la croupe des bêtes. Son odeur légèrement sucrée emplissait peu à peu l'espace.

— Regarde, disait la vieille, ton ânesse s'est approchée du bébé et le bœuf en fait autant. On dirait qu'ils le contemplent.

Marie épuisée s'était endormie sous une épaisse couverture de laine rouge. Elle souriait dans son sommeil.

— Quelle chance tu as, charpentier, d'avoir une femme si douce et qui t'a donné...

La vieille fut interrompue par des voix qui semblaient se quereller et par l'ouverture de la mauvaise porte branlante faite de quelques planches et de vieilles peaux de bêtes déchirées. Le berger entra accompagné de plusieurs autres.

Joseph et la vieille se dressèrent. Le charpentier qui était capable de colère lança :

— Voulez-vous vous taire !

Sa voix profonde impressionnait. Le silence se fit et les hommes avancèrent lentement.

— Qu'est-ce que vous avez, à crier comme ça ? demanda la vieille.

Le pâtre qui les avait accueillis répondit d'un ton mal assuré :

— C'est incroyable. Nous étions près de la source, voilà qu'arrive un inconnu. Tout déguenillé... Une drôle de tête. Y portait pas de lumignon, pourtant, on aurait dit qu'il était comme éclairé de l'intérieur.

— Oui, drôle de corps, fit un très vieux pâtre.

— Il nous dit : « Je vous annonce une grande nouvelle, le Sauveur est venu sur cette terre. Il vient de naître tout près d'ici. Allez dans cette bergerie, vous le trouverez dans la crèche, sur la paille... » Alors, on est venus.

Tout en parlant ainsi, ils regardaient vers la crèche et semblaient bien étonnés de voir ce bœuf et cette ânesse souffler sur une lueur qui montait d'une poignée de paille.

— Allez. Mais ne faites pas de bruit.

Tous s'approchèrent, contemplèrent Jésus et tombèrent à genoux en joignant les mains.

L'un d'eux, jeune sans barbe et avec de beaux cheveux bouclés, se releva le premier en regrettant :

— Et nous n'avons rien apporté.

Alors, sans un mot de plus tous sortirent en hâte et disparurent dans la nuit. Seul demeura le propriétaire de la bergerie qui alla dans un recoin chercher une cruche de lait, une planche où étaient du fromage, du pain et des olives noires.

— Tenez, c'est tout ce que j'ai, mais tout ce que je possède est à vous.

Les autres revinrent avec des présents. Il y eut bientôt dans la bergerie de quoi faire un banquet. Alors, Joseph dit :

— Il n'est pas encore en âge de festoyer, mais nous allons le faire tous ensemble, en buvant à sa santé le vin que vous avez apporté.

Ils allèrent chercher ceux de la caravane et tous burent et mangèrent en chantant les louanges de celui que le Tout-Puissant envoyait sur ce bas monde pour montrer le chemin aux hommes de bonne volonté.

8

Bien loin de là, trois princes sortaient d'une auberge où ils venaient de festoyer. Le plus âgé des trois, grand nègre à barbe blanche, regarda le ciel pour savoir le temps du lendemain. Un vent aigre faisait scintiller des millions d'étoiles. Les deux autres firent quelques pas puis, voyant que leur compagnon demeurait planté devant la fenêtre de l'auberge, ils se retournèrent. Celui qui venait d'Asie et qui se nommait Melchior lança :

— Alors, viendras-tu ?

Le nègre hocha la tête lentement, fit deux pas vers eux et dit, l'air profondément troublé :

— Foi de Balthazar, il y a au ciel une nouvelle étoile !

— Une nouvelle étoile, s'étonna le prince de race blanche qui se nommait Gaspar, est-ce que tu n'aurais pas bu un peu trop ?

— Ne plaisante pas. Regarde là-bas, presque sur cette colline qui ressemble à une bosse de dromadaire. Tu vois ? Regarde bien, elle brille plus que les autres.

— C'est exact, fit l'Asiatique. Je connais le ciel mieux que personne. Il y a cette nuit une étoile que je n'avais jamais vue. Et c'est vrai qu'elle scintille d'une manière particulière.

Tous trois se sentaient troublés. Ils firent quelques pas dans la direction de cet astre inconnu, juste ce qu'il fallait pour ne plus être gêné par la clarté tombant des fenêtres, et ils demeurèrent un long moment à l'observer sans oser souffler mot.

Tous trois étaient des mages. Des hommes d'une grande sagesse qu'on avait appelés en Arabie, pour leur demander des conseils sur la marche du monde.

Ce fut Gaspar qui rompit le silence pour murmurer :

— On ne peut pas s'y tromper. Cette étoile ne peut être que l'astre dont parle Balaam. Elle est là pour annoncer la naissance de celui qui sauvera Israël.

— Mais que pouvons-nous faire ? demanda Gaspar.

— Tu veux dire : que devons-nous faire ? le reprit Balthazar de sa grosse voix de basse. Il n'y a pas à hésiter. Il faut seller nos montures et nous mettre en chemin sans tarder.

Les deux autres n'hésitèrent pas un instant. Ils bondirent en direction de l'écurie.

— Et surtout, lança Balthazar, n'oublions pas

des présents. Nous ne pouvons pas aller rendre hommage au Sauveur les mains vides !

Et il allongea ses grandes jambes maigres pour rattraper ses amis qui tournaient déjà l'angle de la rue.

Balthazar se sentait en joie. La lune étirait devant lui son ombre démesurée. Comme il relevait sa robe pour courir plus vite, il ressemblait à un pantin désarticulé. Un pantin avec des ailes de chauve-souris.

9

À peine sur leurs chevaux, les trois mages astrologues se mirent à galoper en direction de cet astre dont la clarté semblait plus vive que celle de la lune.

— Une nouvelle étoile, cria Melchior dans le vent de la course, il faudrait lui donner un nom.

À ce moment précis, ils passèrent à côté d'un troupeau dont le berger leur cria en tendant sa houlette dans la direction de l'étoile :

— Vous avez vu ?

— J'ai trouvé, clama Balthazar ! Étoile du Berger !

Ils galopèrent un moment en silence. La nuit était splendide et l'air leur semblait plus vivifiant que d'habitude.

Soudain, Gaspar constata :

— Elle fuit devant nous, notre étoile.

— C'est pour nous indiquer la direction.

Ils la suivirent et comprirent bientôt qu'elle les menait droit vers la Judée. Comme ils allaient trois fois plus vite que des cavaliers ordinaires, en quelques nuits ils atteignirent Jérusalem où s'était déjà répandue la nouvelle de la naissance du Sauveur d'Israël.

Même Hérode, un des rois les plus durs que le monde ait connus, était informé.

Apprenant l'arrivée des mages, il se douta bien qu'ils n'avaient pas fait tant de chemin pour le seul plaisir de lui présenter leurs hommages. Comme il était rusé, il les reçut à sa table, leur fit servir son meilleur vin d'Yquem et leur demanda où ils se rendaient.

— Nous allons nous prosterner devant le nouveau roi des Juifs, celui qui vient de naître.

— Où est-il ?

— Nous n'en savons rien, mais l'étoile du Berger va nous y conduire.

— Écoutez, fit Hérode d'un ton bonhomme, je suis très pris en ce moment par ce dénombrement que Rome m'a demandé, mais allez saluer le Messie. Au retour, vous me direz où il se trouve car je tiens à aller moi aussi me prosterner devant lui.

Les mages qui étaient des savants incapables de malice, promirent et continuèrent leur course. Ils durent même cravacher ferme, car l'étoile n'avait pas perdu de temps à les attendre.

Au milieu de la deuxième nuit, ils la virent soudain descendre vers la terre, d'abord très vite en laissant derrière elle une longue traînée d'étincelles, puis de plus en plus lentement.

Enfin, elle se posa en douceur sur le toit d'une bergerie qui leur parut d'une infinie pauvreté.

— Pas possible, fit Gaspar, elle s'est trompée !

— Qui sait, dit l'Asiatique, il faut voir.

Balthazar, pour sa part, était tellement émerveillé qu'il en avait le souffle coupé.

Ils laissèrent leurs montures sous les oliviers, près de la source, et s'avancèrent à pied.

Quelques bergers qu'ils rencontrèrent les saluèrent en lançant avec joie :

— C'est là... C'est bien lui... Et vous allez voir comme il est beau ! Et comme il sourit déjà !

La porte était grande ouverte et la bonne odeur chaude du bétail vint à leur rencontre. Quand ils entrèrent, ils furent tout de suite attirés par une étrange lueur qui montait de la crèche débordant de paille. C'est à peine s'ils virent Joseph, Marie et quelques bergers qui se tenaient à l'écart. Tout de suite, ils tombèrent à genoux en déposant sur le sol leurs présents : l'or, l'encens et la myrrhe.

Ils se mirent à prier. Ils contemplaient l'enfant qui souriait en regardant le bœuf, sans se soucier de ces étranges visiteurs.

10

Épuisés par leur longue course, les trois mages, en sortant de l'étable, s'en allèrent dormir sous les arbres, près de la source où ils avaient laissé leurs chevaux. Il ne faisait pas chaud, mais ces gens-là avaient l'habitude des nuits à la belle étoile, et l'astre qui continuait de scintiller sur le toit de l'étable où dormait Jésus leur semblait émettre des rayons aussi brûlants que ceux du soleil de l'été.

Il y avait à peine quelques heures qu'ils se reposaient, lorsqu'ils furent réveillés par un vieux berger assez étrange d'aspect qui les secoua vigoureusement :

— Levez-vous et retournez en Orient. Évitez de traverser Jérusalem où Hérode vous attend.

— Mais, bredouilla Melchior en frottant ses petits yeux bridés, nous lui avons promis...

— Il n'y a pas de promesse qui tienne avec une brute de cette espèce. Filez ! Hérode s'est mis en tête de faire tuer le Sauveur par crainte qu'il ne lui prenne son trône. Faites comme je vous le conseille et tout ira bien...

L'étrange visiteur venait de se fondre dans le brouillard qui s'élevait de la source et enveloppait déjà le tronc des oliviers.

— Mais alors, fit Gaspar, il faudrait prévenir Joseph...

Il fut interrompu par la voix de l'inconnu qui monta du brouillard pour lancer :

— Ne vous inquiétez pas de ça ! C'est mon affaire ! Filez et faites un large détour pour éviter la ville et les soldats.

Il y eut un remous de lumière dans le brouillard, puis ce fut le silence épais.

11

Tandis que les trois mages piquaient vers le sud-est pour regagner leurs terres sans prendre de risques, celui qui les avait avertis s'en allait en direction de l'étable où Marie, Joseph et Jésus dormaient tranquillement. Ouvrant la porte sans bruit, il se glissa vers le charpentier, lui toucha l'épaule et confia à voix basse :

— Ne bouge pas. Ne les réveille pas pour le moment mais, dès l'aube, il te faut fuir avec l'enfant. Hérode s'est juré de te le prendre.

— Mais où veux-tu que je me rende ?

— Va donc en Égypte. Par la montagne, en évitant les routes où passent les soldats, tu devrais y être assez vite.

Joseph, tout à fait réveillé, voulut en savoir un peu plus.

— Qui es-tu donc, pour être si bien renseigné ?

L'inconnu s'était déjà fondu dans l'obscurité de la bergerie, et Joseph, dressé sur un coude, crut seulement voir une vague lueur et entendre un léger froissement d'étoffe au moment où s'ouvrait la porte qui vibra un peu, comme elle faisait quand soufflait la bise. Or, cette nuit-là, il n'y avait pas le moindre soupçon de vent.

Joseph s'allongea de nouveau, mais il ne put trouver le sommeil. À côté de lui, Marie dormait paisiblement. Son souffle était régulier et le charpentier n'avait qu'à étendre la main pour sentir la bonne chaleur de son corps. Du côté de la crèche, la lueur qui rayonnait de l'enfant semblait caresser d'or fin le museau du bœuf et celui de l'ânesse. Tout ici était calme et rassurant.

12

Pourtant, le bon Joseph était bien certain de n'avoir pas rêvé. Dès qu'il vit les premières lueurs de l'aube dessiner les fentes des planches, il se pencha vers Marie qu'il embrassa tendrement sur le front.

— Marie, il faut partir.

Elle s'assit sur la paille :

— Je sais.

— Comment sais-tu ?

— Je n'ai pas bronché, mais je l'ai entendu te parler.

Elle se leva et, après s'être habillée chaudement, elle s'occupa de son fils tandis que Joseph préparait les bêtes. Le berger qui dormait dans le foin, tout au fond de l'étable, s'avança. Il voulait les accompagner.

— Un bon pâtre n'abandonne pas son troupeau, dit Joseph.

Le berger leur prêta la main pour harnacher et bâter leurs deux bêtes, il prit avec eux un dernier repas de lait, de fromage et de pain puis, s'étant assuré qu'ils emportaient assez de provisions et que l'enfant était bien au chaud dans un des paniers que portait l'ânesse, il leur dit adieu. Debout sur le seuil de sa bergerie, il les regarda s'en aller. C'était un bien beau gars dans la pleine force de l'âge. Et ses yeux ne pouvaient se détacher de la silhouette fine et gracieuse de Marie. Avant de disparaître derrière le premier rocher, elle se retourna et lui adressa un signe de la main. Il répondit, mais elle était déjà trop loin pour qu'il puisse voir son bon sourire tout plein d'affection.

Joseph qui marchait devant en menant la mule avait déjà disparu. L'ânesse allait d'un bon pas en prenant soin de ne pas trop bousculer le panier où dormait le bébé.

13

Dès qu'il eut appris le départ des rois mages, Hérode, le roi des Juifs, entra dans une colère d'une extrême violence. Cassant des vases précieux, décapitant des statues à coups d'épée, il se mit à aboyer des ordres. Ses hurlements firent trembler son palais jusque dans ses fondations.

— Un jour, je régnerai sur le monde. Tous les hommes me seront soumis. Ceux qui se révolteront y perdront la vie !

Marianne, son épouse dont il était très épris, n'osa pas lui répondre que, parce qu'il était étranger et qu'il était parvenu au pouvoir avec la protection des Romains, le peuple juif ne l'aimait guère. Il cessa tout de même de briser son mobilier et s'en prit à ses espions.

— Des incapables qui n'ont eu connaissance de la fuite de ce charpentier et des siens que trois jours après leur départ. Qu'on commence par décapiter ces imbéciles !

— Sire ! objectèrent ses ministres. Ces hommes ont un passé irréprochable.

— Faites-les décapiter et tenez-vous sur vos gardes vous aussi !

Cependant, les espions prétendirent que Joseph était parti seul avec Marie, laissant l'enfant à Bethléem.

— Ce gaillard-là est rusé, expliqua le ministre des Armées.

— Eh bien, qui est-ce qui m'a fichu des espions moins rusés qu'un charpentier ? Coupez-moi ces trois têtes sans cervelle. Et pour être certain que ce Jésus ne s'en sorte pas, expédiez vos troupes les plus rapides à Bethléem avec ordre de massacrer tous les enfants mâles en dessous de deux ans !

Le soir même, une importante force de cavalerie piquait droit sur Bethléem. Les hommes portaient, sur leurs tuniques noires, l'insigne d'argent fait d'une tête de mort et de deux tibias croisés. Pendant ce temps, Hérode, dont la colère n'était pas tombée, faisait rassembler son peuple.

À la lueur des torches, il fit défiler des soldats bien armés puis, du haut du perron de son palais, il se mit à haranguer la foule. D'une voix de tonnerre, il lança des menaces effrayantes. Jura qu'il ferait tout plier à sa volonté et promit les pires peines à ceux qui se permettraient le moindre écart.

Hérode se figurait qu'étant en possession

d'une grande armée, il pouvait tout obtenir par la force.

La ville entière tremblait aux échos de ce discours. Car les gens savaient bien qu'Hérode n'aimait personne, et surtout pas les Juifs.

14

Pendant que leur maître aboyait, les escadrons de la mort brûlaient la piste au grand galop et atteignaient Bethléem en plein cœur d'une nuit glaciale. Les chevaux fumaient. Leurs hennissements réveillèrent d'abord les bergers qui vivaient hors des limites de la petite cité. Épouvantés, ils s'enfuirent dans la montagne en poussant devant eux leurs troupeaux.

L'un des escadrons se déploya pour cerner l'agglomération tandis que les deux autres se répandaient dans les rues. Les soudards cognaient à coups de lance et d'épée dans les portes. Les officiers hurlaient :

— Dehors ! Tout le monde sur la place ! Vite ! Vite ! Sur la place avec les enfants !

À moitié endormis, croyant qu'on voulait une fois encore les dénombrer, les gens s'habillaient en hâte, enveloppaient leurs enfants et sortaient au plus vite. Ainsi espéraient-ils calmer les soldats et faire qu'ils ne détruisent pas tout dans leurs maisons.

Il avait encore neigé sur le village et, bientôt, la neige des rues et surtout celle de la grand-place fut rouge de sang.

L'aube hésitait. Un ciel gris et bas, habité d'un vent mauvais, déchirait de longues écharpes de deuil au ras des toitures. Sur les arbres bordant la place, des vols de corbeaux croassaient en secouant leurs ailes. On les sentait pressés de venir se repaître des lambeaux de chair éparpillés sur le sol gelé. Les plus hardis n'attendirent pas le départ des soldats. Ils descendirent de branche en branche et guettèrent l'instant de se poser sur la neige. Très vite, ils avaient compris qu'ils n'avaient rien à redouter de ces reîtres, gorgés de vin, bardés de fer, cuirassés, casqués, armés de lances et de sabres pour égorger des nourrissons.

Les mères rendues folles tentèrent de se sauver ou de protéger leur enfant. Les coups d'épée vinrent vite à bout de cette pauvre résistance. Celles qui serraient une petite fille sur leur poitrine arrachaient elles-mêmes les langes de leur trésor qui hurlait de peur et de froid. Car la bise aussi lacérait de ses lames les petits corps bleuis.

Les cavaliers saoulés par le vin et l'odeur de la mort, pressés d'en finir pour aller boire, tuèrent des filles dans leurs vêtements en hurlant qu'ils n'avaient pas de temps à perdre pour exécuter les ordres de leur roi.

Les petits corps mutilés roulaient sur la glace. Les mères se jetaient dessus pour tenter de les protéger encore. Un coup de lance les achevait. Les sabots des chevaux broyaient les crânes et défonçaient les poitrines.

Plusieurs maisons dont les portes solides avaient été barrées brûlaient. On entendait, à l'intérieur, des hurlements de douleur. Le rire fou des soldats leur répondait.

Avant le milieu du jour, le général Lammerding qui commandait cette troupe, très fier de sa victoire, envoyait une estafette porter à Hérode la bonne nouvelle.

La nuit qui suivit, Hérode put enfin trouver le sommeil.

15

Qui donc pourrait vivre heureux en portant le souvenir de pareil crime ?

Hérode essaya. Mais un mal dont aucun médecin n'osa désigner la cause le rongeait. Ses accès de colère devinrent tels que même sa femme redoutait de l'approcher. Il ne dormait que très peu et se réveillait en proie à d'horribles cauchemars. Il se dressait sur sa couche en hurlant. Tantôt il demandait qu'on égorge tout le monde, tantôt il suppliait qu'on cesse le massacre. Il se voyait entouré de milliers d'enfants qui tous se prénommaient Jésus. Parfois, ils étaient beaux et pleins de vie mais, le plus souvent, ils s'avançaient vers lui, couverts de sang, sans bras, sans tête et marchant tout de même sur des moignons.

De plus en plus, Hérode s'en prenait à ses proches collaborateurs et aux membres de sa famille pour leur reprocher de ne point l'avoir aidé à sauver les innocents de Bethléem, et surtout Jésus qui était le Messie.

Jésus, le fils du charpentier

Au comble de sa démence, Hérode fit égorger deux de ses fils. Peu après, écrasé par le poids de ses fautes, il rendit au diable son âme plus noire que la nuit.

Tout son royaume poussa un soupir de soulagement qui monta jusqu'aux cieux et ouvrit les nuées pour planter en terre une longue épée de lumière dont la garde lui donnait l'air d'une croix.

16

Cette nuit-là, Joseph qui dormait à côté de Marie, dans le petit village d'Égypte où ils avaient trouvé refuge, fut tiré de son sommeil par quelqu'un qui heurtait à la porte, presque timidement. Il se leva sans bruit et alla entrouvrir. Depuis leur fuite, il redoutait toujours que des hommes à la solde d'Hérode ne viennent lui enlever son fils. Il avait empoigné sa hache à débiter et se tenait prêt à se défendre.

La lune était pleine et sa clarté tombait franche et froide dans la ruelle.

— Ne crains rien, souffla le visiteur. Viens, je veux te parler mais je ne tiens pas à les réveiller.

Joseph obéit. Il avait reconnu le berger qui était sorti du brouillard près de la source pour l'engager à fuir.

— Comment as-tu fait pour nous retrouver ?

L'homme sourit dans sa barbe :

— Je suis ici, c'est l'essentiel. Et je t'apporte une grande nouvelle.

Le berger avait beau sourire, Joseph n'était pas tranquille. Il murmura :

— Je redoute les grandes nouvelles. Elles sont rarement bonnes.

— Pour une fois, tu as tort. Celle-ci est mauvaise pour tes ennemis mais fort bonne pour toi et les tiens.

Comme tous les vieux qui aiment à ménager leurs effets quand ils racontent quelque chose, le berger marqua un temps avant de se décider :

— Ceux qui en voulaient à la vie de ton fils sont morts. Morts ou hors d'état de te nuire.

— En es-tu bien certain ?

— Crois-tu que j'aurais parcouru tout ce chemin pour venir te raconter une histoire ? Est-ce que j'ai la tête d'un farceur ?

— Non, fit Joseph, tu as la tête d'un brave homme.

— Alors prends avec toi ton fils et ton épouse, et retourne au pays d'Israël car c'est là-bas que Jésus doit grandir.

— Veux-tu manger ou boire ?

— Non, je dois partir retrouver mon maître.

Joseph aurait aimé le remercier et lui ouvrir sa demeure, mais, le temps qu'il pousse sa porte et se retourne, l'homme avait disparu.

— Tout de même, murmura le charpentier, il n'a pas pu atteindre le bout de la ruelle !

À moins de dix pas de lui traînait, entre les murs des maisons basses, comme un léger tourbillon de brume qui semblait porter une lumière étrange. Joseph soupira et rentra pour trouver Marie debout, en train d'allumer le feu.

— Tu es déjà levée ?

— Oui, j'ai entendu ce qu'il t'a dit. Nous allons manger, préparer nos bagages, charger les bêtes et nous mettre en route sans attendre.

Son visage radieux disait quel bonheur lui procurait l'idée de retrouver son pays et sa demeure.

17

La route du retour fut longue mais bien agréable. Marie menait l'ânesse et chantonnait en allongeant le pas. Joseph tenait le mulet chargé qui suivait d'une telle allure qu'on pouvait se demander s'il n'avait pas saisi les propos du berger.

— Cette bête sent l'écurie, observait Joseph. Si je la laissais aller, elle filerait devant comme le vent !

À présent qu'ils n'avaient plus à se cacher, ils pouvaient emprunter les chemins les plus larges qui suivaient souvent le fond des vallées. Tous les voyageurs qu'ils croisaient leur adressaient des saluts où l'on devinait la joie. Certains criaient même sans se gêner :

— Il est mort et enterré. Que le diable le fasse rôtir longtemps sur son plus gros foyer !

Dès qu'ils arrivèrent à Nazareth, ils furent accueillis par bon nombre d'amis. Tous admiraient l'enfant Jésus qui dormait dans son panier.

Les gens caressaient l'encolure de l'ânesse en s'extasiant :

— Brave bête ! Voyez-vous ça, comme elle est fière de porter un tel trésor !

Le vieil homme qui avait gardé leur maison et soigné leurs chèvres avait les larmes aux yeux en contemplant le bébé.

— Il faut tout de suite le coucher dans son berceau.

Jésus qui s'était éveillé regardait cette demeure inconnue et semblait s'intéresser à tout. Le vieux apporta du lait des chèvres. Marie se hâta d'aller voir son jardin et ses bêtes. Joseph, planté devant son établi, caressait ses outils et contemplait sa réserve de bois. Pensant à son fils, il murmura :

— Tu seras charpentier comme moi.

18

Comme il y avait quarante jours que Jésus était né, ses parents prirent le chemin de Jérusalem pour aller, selon la loi de Moïse, le présenter au temple. Joseph qui avait à peine eu le temps de se remettre au travail maugréa un peu mais, parce qu'il était bon, il inclina la tête sur son épaule et fit contre mauvaise fortune bon cœur.

— C'est la loi, c'est la loi. Il n'y a pas à discuter.

Ils firent la route avec des amis et ce fut un voyage de joie.

Quand ils entrèrent au temple, bien des gens se penchèrent pour contempler cet enfant dont beaucoup sentaient qu'il n'était pas comme les autres. Mais personne ne disait rien. Puis, comme ils arrivaient à la septième colonne, un très vieil homme sortit de l'ombre et se précipita vers Marie. Il tendit ses mains qui tremblaient, prit Jésus avec mille précautions et le leva vers la voûte en criant d'une voix forte et profonde :

— Seigneur, à présent, je puis mourir en paix.

Mes mains ont touché, mes yeux ont vu Celui qui sera le Sauveur d'Israël, notre peuple.

Et de grosses larmes de joie perlèrent à ses paupières. Elles tombèrent et suivirent le sentier sinueux de ses rides.

Marie et Joseph n'osaient rien dire. Ils étaient là, immobiles et gauches, gênés d'être le centre de cette foule, un peu effrayés que tant de regards les enveloppent et se posent sur leur enfant qui souriait en regardant les lumières du temple.

19

Nazareth avait retrouvé une grande sérénité et un bonheur de vivre qui faisaient chaud au cœur. Bien des gens venaient contempler Jésus. En même temps, ils admiraient le berceau et adressaient des compliments à Joseph.

Mais Jésus qui était un enfant vigoureux et très éveillé fit vite ses premiers pas. Quand il commença de trotter, ce fut tout de suite en direction de l'établi. Il aimait beaucoup jouer avec les longs copeaux blonds et nerveux qui tombaient de la varlope. Joseph disait à Marie :

— Il est rudement adroit. Et ingénieux. Je le vois prendre des chutes de bois et essayer déjà d'en faire quelque chose. Tu verras que ça deviendra un fameux charpentier !

Dès que Jésus fut trop grand pour son berceau, Joseph fit cadeau à une famille pauvre de cette pièce qu'il avait assemblée et sculptée avec tant d'amour. Comme une femme lui demandait ce qu'il ferait s'il lui venait un autre enfant, il ébaucha un sourire, mais c'est d'un ton grave qu'il répondit :

— Ma foi, je fabriquerai un autre berceau. À mon âge, voyez-vous, je crois qu'on fait plus facilement un berceau qu'un enfant.

Dès qu'il put marcher seul sans trop de risque de tomber, Jésus se mit à visiter les ruelles voisines. Il manifestait une grande curiosité. Tout éveillait son intérêt. Un atelier surtout l'attirait, c'était celui de Vincendon, le vieux luthier. Là aussi c'était le bois qu'on travaillait, mais d'une autre manière et pour en faire toutes sortes d'instruments de musique. Pour amuser l'enfant, Vincendon pinçait les cordes et en tirait des sons qui semblaient venir tout droit du ciel. Jésus ouvrait de grands yeux en tendant vers l'instrument sa petite main blanche.

Ce qui l'attirait également beaucoup, c'était la forge. L'énorme soufflet qui faisait monter des tourbillons d'étincelles le long du mur noir de suie. Des ânes, des mules, des chevaux mêmes attendaient leur tour d'être ferrés à neuf. Jésus s'en approchait. Il caressait sans crainte leurs jambes luisantes dont les muscles tressaillaient quand s'y posaient des mouches.

— Attention ! s'écriaient certains, il va se faire écraser par ces bêtes !

Le forgeron, un grand diable de rouquin tout en os et en tendons, riait en lissant sa moustache du dos de sa grosse main toute jaspée de petites brûlures des étincelles.

Jésus, le fils du charpentier

— Ne vous en faites pas. Ce petit a un don. Les bêtes l'adorent. Pas une qui regimberait quand il est près d'elle. Je n'ai jamais vu ça.

Jésus grandissait. À mesure que son intelligence se développait, il manifestait de plus en plus de curiosité pour le travail. Il prenait en main les outils. Il voulait tout connaître des métiers du village.

Un soir, il revint à la maison avec un très beau pot vernissé et décoré de fleurs qu'il offrit à sa mère.

— Qui t'a donné cette merveille ?

— C'est moi qui l'ai fait pour toi.

— Mais où as-tu appris ?

— Chez Daniel, le potier. Je l'ai tourné comme il m'a montré à le faire, et c'est lui qui l'a cuit dans son four chauffé au bois d'olivier.

Bien entendu, Jésus allait à l'école où il apprenait avec beaucoup de facilité. Dès que ses devoirs étaient terminés, il demandait à Marie ce qu'il pouvait faire pour lui venir en aide.

Il allait au bois, à l'herbe pour les chèvres, il se rendait au puits au moins trois fois par jour. Il grandissait mais demeurait mince. Un peu frêle d'aspect, cependant ses mains durcissaient. On les sentait fortes, nerveuses et, lorsqu'il empoignait un outil, c'était d'un geste franc et ferme qui enchantait Joseph.

— Ce sera un rude compagnon, répétait le charpentier avec beaucoup d'émotion.

Un matin, il put le faire monter avec lui sur

une toiture. Ils y travaillèrent tout le jour. Le soir, un peu ivre de soleil, Jésus riait en regagnant l'atelier. Quand Marie les vit arriver, elle se précipita, un peu inquiète tout de même de ce premier jour sur une charpente.

— Alors ? lança-t-elle.

— Il est aussi adroit qu'il est fort, répliqua Joseph tout plein d'orgueil.

20

Il y avait une chose que Joseph et ses amis artisans et paysans enseignaient en même temps que le travail, c'était l'honnêteté. Le vieux charpentier avait coutume de dire :

— Le bois est une matière noble. On ne triche pas avec le bois.

Le forgeron disait la même chose en parlant du fer qu'il martelait sur son enclume d'où montait un beau son de cloche. Le potier parlait ainsi de sa terre qui prenait forme sous ses mains toutes luisantes d'eau et de lumière. Les laboureurs tenaient le même langage à propos de leurs terres. Le vigneron aussi qui se montrait le plus fier de tous :

— Je suis le plus grand des cultivateurs car je soigne la seule plante éternelle. Il expliquait à Jésus qu'avec le provignage, la vigne qui vient du fond des âges peut aller jusqu'au fond des temps.

Et il ajoutait d'un air grave :

— À condition que je lui apporte tous mes

soins et tout mon amour. Je le fais parce que je sais que le vin est le breuvage sacré.

Toutes ces choses de la vie des humbles, Jésus les apprenait. Elles entraient en lui et gonflaient son cœur. Ceux qui l'entouraient voyaient bien qu'il avait tout pour devenir un très bon compagnon charpentier, sans doute même un maître d'œuvre, mais les plus fins parmi les vieillards murmuraient parfois en cachette de Marie et de Joseph, avec sans doute un peu d'inquiétude :

— Peut-être même sera-t-il beaucoup plus que cela.

21

Jésus venait d'avoir douze ans lorsque Joseph déclara :

— Nous avons fait du bon travail. Il nous a été payé convenablement, j'ai du bois d'avance, le ciel est clair, je propose que nous nous rendions à Jérusalem pour la fête de Pâque.

— C'est bien loin, observa Marie qui n'aimait pas s'éloigner de son foyer et gardait de leurs précédents voyages un souvenir assez pénible.

Mais la joie que montrait son fils était telle qu'elle céda bien vite. Le voyage fut agréable car le temps resta au beau et tous les gens qui faisaient partie de la caravane étaient des voisins ou des amis. Les fêtes furent agréables aussi et, au moment du retour, comme les enfants s'étaient tous rassemblés pour faire le chemin en jouant, Marie et Joseph pensèrent que Jésus s'était joint à leur troupe. Pourtant, au bout d'une heure de marche, Joseph commença à s'inquiéter.

— Tout de même, rien ne dit qu'il soit bien avec ses camarades.

— Toi alors, fit Marie, tu es vraiment un père pas comme les autres. Laisse donc un peu ce gamin tranquille. Tu le couves beaucoup trop.

Mais Joseph n'écouta que son cœur de vieux père. Il laissa Marie avec la mule et allongea le pas pour rattraper les enfants. Tous étaient là, sauf Jésus que nul n'avait vu depuis le départ.

Tout de suite effrayé, le charpentier revint en courant. À bout de souffle, il rejoignit Marie sans avoir pris le temps de répondre aux questions des gens qu'il avait croisés et qui riaient :

— Où courez-vous, charpentier ?

— Tu te trompes de direction, vieux Joseph !

Il dit à Marie que leur fils avait disparu et, cette fois, ce fut elle qui s'affola. Faisant faire demi-tour à sa monture, elle la mit au trot et le pauvre Joseph fut bien obligé de courir derrière. Heureusement pour lui, la mule n'était plus jeune et elle ralentit bientôt.

Le soleil était au plus haut lorsqu'ils atteignirent Jérusalem. Ils cherchèrent partout dans la basse ville où ils avaient vécu ces quelques jours. Rien ! Tous les gens qu'ils interrogeaient haussaient les épaules en disant :

— Un enfant... un enfant, mais il y en a des centaines qui traînent les rues. Comment voulez-vous qu'on sache si c'est votre garnement qu'on a rencontré !

Ils finirent par passer devant l'échoppe d'un

bourrelier chez qui ils étaient venus, la veille, acheter une longe de cuir pour réparer le harnais de leur mule. L'homme n'hésita pas.

— Votre garçon qui a un si beau regard, c'est un enfant très curieux que vous avez là, il m'a posé des tas de questions sur le cuir et sur mon travail. Bien sûr, c'est lui que j'ai vu. Il m'a très poliment souhaité le bonjour. Je lui ai demandé où il allait comme ça tout seul. Il m'a dit qu'il montait vers le temple où son père voulait qu'il se rende.

Ils remercièrent et enfilèrent une ruelle montante.

Dans le temple aux colonnes énormes et à la voûte écrasante, ils trouvèrent Jésus, debout au centre d'un cercle composé de prêtres, de savants, de sages et de docteurs tous assis et qui semblaient émerveillés. Pareil à un grand maître, l'enfant parlait. Il répondait à toutes les questions de ces hommes. Puis, à son tour, il les interrogeait. Et s'il n'était pas tout à fait satisfait de leurs réponses, il les reprenait sans aucune gêne. Les savants hochaient la tête, souriaient dans leur barbe. Bien entendu, ces hommes-là étaient tous plus ou moins jaloux les uns des autres, alors, quand une question de Jésus en mettait un en difficulté, les autres ne se privaient pas de montrer leur joie. Et tout cela semblait amuser beaucoup l'enfant qui s'étonna de l'inquiétude de ses parents.

Les docteurs, apprenant qui étaient Marie et

Joseph, les complimentèrent sur l'intelligence surprenante de leur fils. Mais Marie ne put s'empêcher de dire :

— Intelligent, c'est bien, mais que ses parents le cherchent pendant des heures et soient dans la plus grande peur, il s'en moque, ce garnement !

— Dans la peur, s'étonna Jésus. Mais de quoi avez-vous peur ?

— Que tu sois perdu, petit malheureux. Enlevé par des bandits ou tombé dans un puits.

D'un ton professoral, Jésus répliqua :

— Écoutez bien ceci, ma mère : vous n'avez aucune crainte à vous faire pour moi. Vous savez que j'ai été envoyé sur terre pour m'occuper de servir Celui qui veille sur le bonheur du monde. Ces hommes vivaient dans l'incertitude, ils avaient besoin d'être éclairés. Mon devoir était de le faire.

Médusés, les savants ne savaient plus quoi dire. Ils regardèrent s'éloigner Jésus qui les salua d'un petit geste de la main et sortit du temple suivi par ses parents presque aussi étonnés que les docteurs mais, au fond, assez fiers de leur fils.

Et le bon Joseph fut encore plus fier le jour où un maître charpentier de passage à Nazareth s'arrêta chez lui. C'était un homme avec qui Joseph avait beaucoup appris, un grand spécialiste des travaux délicats et des calculs compliqués. Comme il expliquait qu'il se rendait chez un riche propriétaire pour y construire un château, il sortit de son bagage des plans et des épures qu'il étala sur la table en précisant :

— Voici ce que je vais lui proposer.

Jésus s'approcha, contempla un moment ces dessins, puis, prenant un crayon, il se mit à dessiner à une vitesse surprenante. L'épure se métamorphosa et le grand maître en resta quelques instants bouche bée.

— Mais ce que cet enfant a fait là est une merveille, fit-il. Comment peux-tu faire ça, mon garçon, sans un calcul ?

Jésus eut un geste comme pour s'excuser.

— Les chiffres, fit-il, je n'ai pas besoin de les coucher sur le plan. Ils sont dans ma tête. Ils viennent tout seuls. Je regarde le ciel, et je vois la charpente qui se dessine. Elle se construit devant moi et je n'ai plus qu'à la recopier.

Joseph souriait d'aise, et le vieux maître hochait la tête en murmurant :

— Mon Dieu, quelle merveille... quelle merveille !

22

La vie à Nazareth continua, douce en dépit de travaux qui n'étaient pas toujours faciles. À mesure que Joseph vieillissait, Jésus prenait sur ses épaules une part plus importante de travail. Le vieillard demeurait là pourtant, attentif à tout. Veillant à ce que chaque commande soit exécutée dans les règles et livrée au moment voulu.

Mais la fatigue et l'âge pesaient lourd sur les épaules de ce bel artisan qui n'avait jamais ménagé sa peine. Les seuls travaux qu'il continuait de refuser étaient des gibets, les potences et les croix. Son fils était comme lui, attaché au respect de son prochain et à l'amour de la vie.

Et puis, au cours d'un hiver très rude, une nuit que le grand gel étreignait Nazareth et tout le pays dans ses serres de rapace, le bon Joseph s'éteignit comme une lampe au bout de son huile. À l'aube, Marie le trouva roide sur sa paillasse, les yeux fermés, mains noueuses croisées sur sa poitrine, plongé dans un grand sommeil.

Jésus baisa son front glacé et murmura :

— Le voici à la droite de mon Père pour les siècles des siècles.

Puis, gagnant l'atelier, dans les premières lueurs d'une aube de cristal, il se mit à fabriquer un cercueil en bois de cèdre. Et il le fit avec autant de passion que Joseph en avait mis à lui construire son berceau.

Lorsque ce cercueil fut achevé, Marie prit un drap qu'elle avait tissé, et elle choisit le plus beau, le plus souple pour ensevelir cet homme qui lui avait donné tant d'amour et qui avait élevé son fils.

Elle fut très émue en constatant que Jésus avait gravé un J sur le couvercle du cercueil avec une colombe perchée sur la barre transversale.

Deuxième partie

Le Sauveur du monde

23

Bien des années passèrent. Jésus avait pris avec beaucoup de courage la suite de son père. Il était devenu, lui aussi, un fameux compagnon. Bien sûr, il ne possédait pas encore l'expérience de son père. Mais il savait mener un chantier sans faiblir, sans hésiter et il n'abusait jamais de la naïveté de certains clients. Souvent, il refusait l'argent des pauvres :

— Bah ! Nous ne manquons pas de farine. À quoi nous servirait davantage d'argent ?

Marie approuvait. Elle aussi se portait au secours des plus démunis. C'était d'ailleurs de sa mère et de son père que Jésus tenait son sens du partage et de la charité. Jamais un mendiant ne passait chez eux sans manger une soupe, un morceau de pain, du fromage et un fruit. La vie semblait devoir se prolonger dans cette harmonie lorsque le bruit courut que Jean, le fils de Zacharie et d'Élisabeth, se trouvait dans le voisinage, sur le bord du Jourdain où il baptisait ceux qui le lui demandaient. Un mendiant de passage annonça son arrivée avec enthousiasme.

— Il parle de Dieu comme personne jusqu'à présent n'a su en parler.

La mère et le fils s'interrogeaient du regard, un peu inquiets. Marie soupira :

— Tu crois que c'est vraiment ton cousin ? Tout ça n'est pas sans me tourmenter.

— Tu te fais toujours du souci, ma pauvre maman. En tout cas, si c'est lui, il serait normal que je me porte à sa rencontre.

— Mais tu as une charpente à terminer. S'il venait à pleuvoir...

— Voyons, maman ! Tu sais bien qu'il ne viendra pas une goutte d'eau à cette saison.

Jésus avait toujours été très doux avec sa mère. Mais elle savait qu'il était inutile d'aller contre sa volonté. Elle ne put que pousser un profond soupir en le regardant boucler à ses pieds ses meilleures sandales.

— Demain soir au plus tard, je serai de retour, promit-il en l'embrassant.

— Sois prudent. Et s'il veut venir se reposer ici, n'hésite pas à l'inviter. Ne le laisse pas t'entraîner dans Dieu sait quelle aventure, murmura-t-elle tandis que son fils s'éloignait.

24

Jésus n'eut pas à hésiter sur le chemin à prendre. À la manière d'un pèlerinage, une foule marchait vers l'amont du Jourdain. Dès qu'il fut sur la rive où des centaines de curieux se pressaient, Jésus entendit le Baptiste qui prêchait. Comme lui, Jean entrait dans sa trentaine. Il portait autour de ses reins une sorte de pagne. Son dos était recuit de soleil. Les deux hommes ne s'étaient jamais rencontrés, mais à peine Jésus se fut-il présenté, Jean le prit par la main et lui parla doucement :

— Sais-tu que depuis des lunes et des lunes, je marche pieds nus dans le désert avec pour tout bagage la gourde que je porte à ma ceinture ?

— J'ai même entendu dire que tu te nourris de sauterelles et de miel sauvage.

Jean sourit. D'une voix profonde, il répondit :

— Tout ça pour venir te trouver.

Jésus le regarda sans comprendre.

C'est alors qu'arriva une troupe nombreuse où

se mêlaient pharisiens et sadducéens avec aussi plusieurs militaires au verbe haut. Tous ces gens se chamaillaient pour être les premiers à recevoir le baptême. Certains semblaient prêts à en venir aux mains. Ils bousculaient les humbles qui attendaient sans rien dire. D'une voix puissante, qui vibrait comme un cuivre et devait porter jusqu'aux limites du désert, Jean lança :

— Engeance de vipères, qui donc vous a permis de vous comporter ainsi ? Ne craignez-vous point la colère de Dieu ? Soyez modestes et repentis. Vos fautes sont nombreuses, confessez-les devant ceux que vous semblez mépriser et qui valent mieux que vous. Ne vous glorifiez pas d'être fils d'Abraham. Car je le dis : si Dieu le veut, il peut de chaque pierre du désert faire surgir un fils d'Abraham ! N'oubliez pas que la grande cognée du maître bûcheron est déjà fichée dans l'aubier de l'arbre. Tout arbre qui ne donne plus de fruits sera abattu, débité et jeté au feu.

De la foule, quelques voix s'élevèrent que la peur faisait trembler.

— Que celui qui possède deux tuniques en donne une à celui qui n'a rien pour se vêtir. Que celui qui a de la nourriture la partage avec celui qui a faim.

Comme un gros publicain à l'air hautain s'avançait pour recevoir le baptême, Jean le fixa durement et lança d'un ton tranchant :

— Que toi et tes semblables cessent de réclamer à ceux qui sont démunis.

— Mais qu'est-ce que je peux faire ? bredouilla le fonctionnaire. Je suis bien obligé d'appliquer la loi.

— Comporte-toi toujours avec humanité. Ne va jamais au-delà de ce que demandent tes maîtres.

Aux soldats qui le questionnaient aussi, il ordonna :

— Cessez d'être violents. Assez de haine ! Ne vous en prenez plus aux innocents. Arrêtez de piller, de violer... Contentez-vous de votre solde au lieu de vous conduire en soudards !

Jésus se tenait en retrait, véritablement impressionné. Comment son cousin osait-il s'adresser aux gens de cette manière ? À tout moment, la foule pouvait le bousculer, peut-être même lui faire un mauvais parti.

Un vieillard demanda :

— Es-tu le Christ ? Le Messie tant annoncé ?

Jean les dévisagea tous intensément. Et à mesure que le feu de son regard passait sur eux, ils baissaient la tête, comme pris en faute.

Sous un ciel de braise, le vent du désert était ardent comme le souffle d'une forge. On se serait cru aux portes de l'enfer. Le fleuve tout proche ne dégageait aucune fraîcheur. Il semblait que la brûlure de la terre était plus vive encore que celle du soleil.

C'est alors que Jean vint prendre Jésus par le bras pour le pousser vers la foule :

— Écartez-vous, misérables brins de poussière ! Laissez approcher celui que nous attendons tous. Car il est là ! À côté de lui, je ne suis rien. Même pas digne de me courber pour délier les courroies de ses sandales.

Un grand silence s'était fait. Seule s'entendait la respiration de cette multitude, pareille à un vent étrange. Une plainte venue du fond des âmes.

De sa voix qui paraissait plus puissante encore, Jean reprit :

— Le voici l'agneau de Dieu. Celui qui est venu pour ôter les péchés du monde.

Puis, se tournant vers Jésus, plus bas il demanda :

— Dis ce que tu attends de nous.

— Je te demande de me baptiser.

Ils descendirent vers le fleuve. Jean n'arrêtait pas de protester :

— C'est à toi de me baptiser. Car j'ai beaucoup plus que toi besoin d'être purifié.

Mais Jésus ne voulut rien entendre. Quand il eut de l'eau aux genoux, il s'arrêta, s'inclina en joignant les mains, ferma les yeux et attendit. Jean hésita quelques instants. Mais la multitude qui attendait le décida. Prenant de l'eau dans ses mains en coupe, il la versa sur la tête de Jésus en disant :

— Je te baptise, au nom de ton Père qui nous contemple du haut des cieux.

L'eau était fraîche. Jésus fut parcouru d'un frisson et il lui sembla que quelque chose pénétrait jusqu'au fond de lui. Bien qu'il eût toujours les paupières closes, une lumière dansait qui grandit bientôt au point d'être douloureuse.

Comme Jean lui prenait l'épaule, il rouvrit les yeux. Les deux cousins s'embrassèrent et remontèrent sur la rive où la foule s'ouvrit devant eux.

À l'instant où Jésus prenait pied sur le sable brûlant, une colombe tomba du ciel. Sans hésiter, elle vint se poser sur son épaule. Il la reconnut tout de suite. Elle était blessée lorsqu'il l'avait recueillie et il l'avait guérie. Comme elle passait sa tête contre sa joue, il murmura pour elle seule :

— Tu m'as retrouvé jusqu'ici. Tu viens me rappeler que ma mère m'attend.

25

Jésus tenait absolument à terminer la charpente qu'il avait commencée. Il s'agissait d'une petite maison pour une vieille, contrainte de quitter sa demeure à la mort de son époux. Berthille venait sur le chantier chaque soir et se lamentait :

— Mon pauvre petit, jamais je n'aurai de quoi te payer.

— Arrêtez de vous en faire pour ça. On s'arrangera toujours.

Tout en besognant, Jésus pensait à Jean. Il était obsédé par les propos étranges que tenait son cousin quand ils se retrouvaient, le soir, à table. Qui donc soufflait à Jean toutes ces idées nouvelles capables de révolutionner le monde ?

Tandis que Jésus œuvrait, Jean poursuivait ses prêches dans le village et alentour. Il proclamait partout que Jésus était le fils de Dieu. Naturellement, de plus en plus de curieux vinrent tourner autour du chantier. Ils levaient le nez et regardaient le charpentier ajuster les poutres. Quand l'heure arriva de monter les tuiles pour la couverture, tout le monde voulut aider. Jamais charpente ne fut couverte aussi vite.

Berthille émerveillée répétait à qui voulait l'entendre que sa maison était l'ouvrage du fils de Dieu.

Lorsque Jésus eut terminé, bon nombre de gens demandèrent à ce qu'il les baptise. Mais il n'y était pas préparé. Il éprouva le besoin de s'éloigner de Jean, de Marie et de cette avalanche de curieux qui ne le voyaient plus comme un honnête artisan, mais comme une bête étrange.

Ayant prévenu sa mère et ses amis, il s'engagea seul dans le désert. Il n'avait que son vêtement, aucune couverture, pas la moindre provision. Il savait que Jean se nourrissait de quelques insectes. Pourtant il tint à s'imposer un jeûne absolu.

Ce n'était pas facile. Car Marie, bonne cuisinière, l'avait habitué à des repas copieux. Mais Jésus était un être d'une grande volonté. Sain de corps et d'esprit, bien qu'il ne fût pas très corpulent, il était solide et endurant.

Les paroles de Jean le poursuivaient. Par moments, elles lui donnaient du courage. Le plus souvent, elles le remuaient tellement qu'elles lui ôtaient toutes ses forces.

Son jeûne dura quarante jours. Il passait son temps à marcher, à contempler le ciel, à observer les astres et à chercher parmi eux les signes de la présence du Père Tout-Puissant. Mais, chaque fois qu'il lui semblait le voir apparaître dans la nuit opaque ou dans la lumière tranchante, il était pris de tremblements. Il approchait, tout disparaissait brusquement, si bien qu'il croyait être la proie de mirages.

Au terme de ces quarante journées épuisantes, Jésus s'en revenait lentement, le front ruisselant, et les yeux un peu brûlés par la lumière vive qui semblait crépiter sur le sable.

Il arrivait à proximité de la première colline plantée d'arbres, lorsque surgit un être étrange, long et maigre, vêtu d'une cape noire. « Encore un mirage ! », se dit Jésus quand l'abominable créature partit d'un rire étrange et terrifiant qui semblait écraser des cailloux. « Serait-ce le diable ? se demanda le pauvre charpentier. Mais pourquoi viendrait-il me trouver en plein désert ? »

— Alors, tu ne t'attendais pas à me rencontrer ici ! lança l'impudent d'une voix de crécelle.

« En effet, pensa Jésus. Je me serais plutôt attendu à te croiser en pleine nuit, au détour d'une ruelle obscure ou bien au fond d'une grotte. » À vrai dire, comme le charpentier ne fréquentait jamais les tavernes et autres lieux de perdition, il s'était cru à l'abri des mauvaises rencontres. L'étonnement le laissa un moment bouche bée. Mais il se reprit très vite :

— On doit s'attendre à rencontrer le malheur à chaque pas.

— Tu fais le malin, mais tu n'en mènes pas large. C'est à peine si tu tiens sur tes jambes.

— Voici quarante jours que je jeûne.

— Et alors ? Si tu es fils de Dieu, change donc ces pierres en pain, et mange !

— L'homme ne doit pas se nourrir uniquement de pain, il lui faut aussi la parole du Père !

Il n'avait pas le pouvoir de se débarrasser de ce gêneur qui s'attacha à ses pas et le suivit jusqu'à Jérusalem. Arrivé au temple, Jésus lui demanda :

— Laisse-moi prier en paix.

— Si tu es sûr de toi, monte avec moi sur la terrasse.

Fatigué, Jésus le suivit jusqu'en haut. La ville s'étendait à leurs pieds.

— Alors, fils de Dieu, montre que tu ne crains rien ! Saute dans le vide et vole comme un ange.

— Tiens, fit le charpentier en souriant, tu crois donc à l'existence des anges ? Tu devrais au moins savoir que le Père a dit : « Tu ne tenteras pas le Seigneur ton Dieu ! »

L'autre entra alors dans une violente colère qui fit grincer l'écho de toutes les vallées alentour. Il se mit à insulter Jésus qui ne réagit pas tant il était épuisé. Puis il l'empoigna et le transporta d'une traite au sommet d'une montagne. Sur les coteaux, des arbres très beaux étaient chargés de fruits. Dans des recoins d'ombre, il y avait des ruches toutes bourdonnantes de vie. Un pigeonnier se dressait entre de vieux oliviers et un vol de pigeons tournoyait.

— Alors, que dis-tu de toutes ces richesses ? fit la voix grinçante.

Toujours admiratif de l'œuvre de son Père, Jésus hocha la tête en silence.

— Toutes ces merveilles sont à toi si tu tombes à genoux devant moi pour te prosterner et me témoigner ton adoration.

Le sourire de Jésus se figea. Son regard s'assombrit.

— Retire-toi d'ici, Satan ! Ne sais-tu pas qu'il est écrit : «Tu n'adoreras que le Seigneur ton Dieu et tu ne serviras que Lui. À Lui seul tu obéiras ! »

Terrorisé, l'autre se mit à trembler. Il s'enfuit à toutes jambes lorsque arriva un vol de colombes aux ailes étincelantes qui se mirent à tourner autour du charpentier.

26

Jésus hésitait beaucoup à quitter son travail pour se faire prêcheur. Quand, pour marquer l'achèvement d'un charpente, il montait tout en haut planter le bouquet d'olivier, il se dressait en équilibre sur la poutre faîtière et contemplait le village avec parfois la grisante impression de posséder le monde. Il respirait à pleins poumons l'air léger chargé de senteurs tièdes, il emplissait ses yeux de lumière vive. Mais très vite, il se reprenait. « Seul Dieu peut dominer le monde », se disait-il en descendant. Il pensait à Joseph qui en savait tellement plus que lui et qui était toujours resté habité d'une grande humilité. Il revoyait les grosses mains râpeuses caressant le bois avec respect.

Cependant, ce que lui avait révélé son cousin ne cessait de remuer en lui. Chaque fois qu'il envisageait de partir, c'était pour y renoncer aussitôt. « Jamais je ne parviendrai à chanter assez bien les louanges du Tout-Puissant. »

Et puis, force lui était d'avouer que remiser pour longtemps son outillage lui coûtait.

Il continuait de s'interroger lorsque Modeste Vaudois, le messager boiteux, vint le voir. Tout le monde connaissait ce vieillard sec au teint cuivré qui parcourait le pays en portant les dépêches. Voyant son front plissé, son regard sombre et sa lèvre qui tremblait, Jésus comprit tout de suite que le pauvre homme était bouleversé. Le vieux s'adossa à l'établi pour reprendre son souffle et demanda à voix basse :

— Ta mère n'est pas là ?

— Elle vient de porter le lait à la fruitière.

— Je préfère. Ce que j'ai à te dire est terrible.

Modeste se redressa et épongea son crâne chauve où perlait la sueur. Puis, d'une voix que la colère faisait trembler comme une lame, il lança :

— Ils ont tué Jean le Baptiste !

— Quoi !

— Hérode Antipas, le tétrarque. C'est lui qui l'a fait assassiner.

— Je croyais qu'il avait une certaine estime pour Jean.

Le messager eut un rictus qui déforma sa bouche édentée :

— Mais il a aussi une drôlesse, Hérodiade, qui le mène par le bout du nez. C'est un faible. Ton cousin lui avait reproché d'avoir pris la femme de son frère, ce qui est la pure vérité, et cette putain avait juré de se venger.

Le vieillard se tut. On sentait qu'il avait du mal à venir au bout de son récit. Son regard s'échappait souvent vers la porte de l'atelier grande ouverte sur la cour inondée de lumière.

— Tu sais peut-être qu'Hérodiade a une fille. La petite Salomé. Belle comme le jour. Seize ans. Danseuse. Probablement pas méchante. Mais sa mère trouvait que ce n'était pas assez d'avoir fait mettre Jean au cachot pour le faire taire. Elle voulait sa peau.

Les poings de Modeste Vaudois se serraient sur sa béquille qu'il brandit soudain en lançant :

— Je voudrais avoir la force de les massacrer tous !

Jésus était médusé. Le vieux se calma un peu.

— Hérodiade a fait danser sa gosse au banquet d'anniversaire d'Hérode. Elle l'avait chapitrée. Quand le tétrarque lui a demandé ce qu'elle voulait en récompense, Salomé a répondu : la tête du Baptiste.

— Et il l'a fait tuer pour ça ?

— Je t'ai déjà dit : c'est un faible. Le bourreau a apporté la tête de ton pauvre cousin sur un plateau d'argent. Le sang dégoulinait tout tiède.

— Je n'arrive pas à croire que cette petite...

— La petite, quand elle a vu ça, elle a tourné de l'œil. Elle est tombée raide sur les dalles !

27

Les nuits suivantes furent atroces. Jésus était poursuivi par la vision de la tête ensanglantée de Jean le Baptiste sur un plateau d'argent. Une grande colère l'étranglait. En même temps, il sentait l'eau fraîche du fleuve ruisseler sur sa nuque comme le jour où son cousin l'avait baptisé. Lorsque la fatigue le terrassait, à peine ses paupières se fermaient-elles, l'eau devenait tiède. C'était le sang de Jean qui coulait le long de son échine. Jésus poussait alors un hurlement et se réveillait en sanglotant.

Marie se levait. Venait poser sa main sur son front.

— Tu as la fièvre.

— Ne vous inquiétez pas, ça n'est rien.

— Tu penses à ce pauvre Jean.

— Comment pourrais-je faire autrement ?

— Moi aussi, je pense à lui. Et à cette pauvre Élisabeth.

Elle lui préparait une infusion d'aspérule

odorante. Mais rien ne parvenait à lui rendre le sommeil.

Après quelques jours, il annonça :

— Je vais partir et faire ce que Jean m'avait demandé de faire.

— Sois prudent, mon enfant, dit Marie tristement. Je vais beaucoup prier pour toi.

28

Ayant confié sa mère à des amis très proches, Jésus se mit à parcourir les villes et les petites bourgades de Galilée. Il entrait dans les synagogues et enseignait aux fidèles. Le bruit se répandit vite que ce qu'il prêchait était nouveau. Et les gens se mirent à venir à lui de plus en plus nombreux.

Bien des fidèles auraient aimé le garder dans leur cité pour suivre plus longtemps son enseignement. Mais Jésus voulait se rendre partout où des enfants, des femmes et des hommes avaient besoin de lui. Souvent, on lui offrait de loger dans des demeures confortables et de prendre part à des banquets, mais lui continuait son chemin en s'efforçant de demeurer toujours dans la plus grande pauvreté. À ceux qui s'en étonnaient, il répondait :

— Les renards les plus maigres ont une tanière, les oiseaux du ciel ont un nid, mais le Fils de l'Homme n'a pas où reposer sa tête.

De ce que lui offraient des personnes charitables, il n'acceptait que la plus petite part. Il tenait à vivre à la manière des plus démunis. Semblable aux vagabonds. Comme eux, il souffrait de la faim et de la soif, et endurait la fatigue du chemin où ses pieds s'écorchaient aux épines. Jamais la moindre plainte ne franchissait ses lèvres. Il voulait être un modèle pour les déshérités en ce monde.

Sa mère lui manquait, son métier aussi, mais la fin effroyable de son cousin lui commandait d'aller toujours plus avant. Il ne pouvait oublier la dernière recommandation de Jean :

— Tu es charpentier. Ton devoir est de te mettre à édifier ton église. On y enseignera la religion de ton Père Tout-Puissant. Ce sera la plus belle église qui soit. Celle où chacun apprendra à vivre dans la paix et l'amour du prochain.

29

La parole de Jésus était si forte, l'exemple de sa vie dans la plus grande humilité si impressionnant que des foules importantes se mirent à le suivre. À ceux qui le voyaient pour la première fois, les autres disaient :

— C'est le fils d'un charpentier de Nazareth. Un bon compagnon du bois comme son père. Mais il a laissé l'établi pour prêcher la bonne parole. Il sait la doctrine nouvelle. Il est celui qui apporte au monde le temps qu'éclairera la vraie lumière.

Nombreux étaient les hommes qui offraient de se mettre à son service. Jésus comprit qu'il devait choisir parmi eux les plus forts, les plus généreux, les plus doués pour la parole et les chargea d'aller prêcher sa doctrine. Il leur donna le nom d'apôtres qui signifie : envoyés. Les premiers qu'il désigna étaient des pêcheurs rencontrés au bord du lac de Tibériade. Il leur dit :

— Je ferai de vous des pêcheurs d'hommes !

Ils se nommaient Simon Pierre, André, Jacques le Majeur et Jean. À Pierre, il dit :

— Tu es Pierre et sur cette pierre je bâtirai mon Église.

Puis, se tournant vers les autres, il poursuivit :

— Mon église sera solide, mes frères. Nous la construirons ensemble. Je vous enseignerai tout ce que Joseph m'a appris du métier de charpentier. Nous travaillerons dans les règles de l'art. Je vous donnerai les clés d'un Royaume où les puissances du mal n'entreront jamais. Vous serez le sel de la terre et la lumière du monde.

Il en désigna encore huit. Il prit Philippe et Barthélemy, Thomas et Matthieu, Jacques le Mineur, Thaddée qu'on appelait aussi Jude, Simon le Cananéen et Judas Iscariote.

Matthieu était receveur d'impôts. Jésus n'aimait pas qu'on prenne l'argent du peuple pour le donner à l'État qui le gaspillait en réceptions, en grands voyages et en armes. Il alla trouver Matthieu à la perception. Il parla de ce qu'il voulait enseigner.

— Suis-moi, si tu es un homme de bien.

Au grand étonnement des autres employés du bureau, Matthieu se leva et le suivit.

30

Dès les premiers jours de son sacerdoce, de nombreux malades s'attachèrent à Jésus.

— Puisque tu portes en toi une part de la puissance du Très-Haut, je t'en conjure, fais que je guérisse des maux qui m'affligent.

Le charpentier se trouvait là dans un grand embarras. Il n'était ni médecin ni guérisseur. Mais ces malheureux avaient une telle confiance en lui qu'il ne se sentait pas le courage de les repousser.

Aux plus faibles, il parlait doucement. Il les laissait s'agenouiller devant lui et posait sur leur tête sa longue main brune.

— Voyons, disait-il, tu n'es peut-être pas si mal en point que tu le crois. Fais un effort. Il suffit de te redresser et de marcher d'un pas un peu plus ferme. Tu verras que tu as encore des forces au fond de toi. Va, je crois que tu es guéri. Pense que mon Père te regarde du haut des cieux et qu'il veut que tu recouvres la santé.

C'est ainsi que des malades réconfortés s'en allaient en proclamant que Jésus les avait guéris.

Lorsqu'il se trouvait en présence de bons à rien qui se prétendaient atteints des pires maux pour que la société les prenne en charge, le charpentier n'était pas dupe. Il avait toujours sur lui quelques pièces de monnaie qu'il savait perdre en les faisant rouler assez loin. Les misérables se précipitaient derrière et Jésus les apostrophait d'une voix chargée de colère :

— Fainéants ! Vous vous portez aussi bien que moi ! Cessez de vous moquer du monde. Vous courez comme des lapins... Ah ca ! vous n'avez pas le dos raide pour ramasser un pièce ! Venez ici, je vais vous trouver du travail, moi ! J'ai du bois à débiter.

Il n'avait pas terminé sa phrase que les autres déguerpissaient à toutes jambes. Car, à regarder et à écouter Jean le Baptiste, Jésus avait compris que la colère peut parfois faire des miracles où la gentillesse échoue.

31

Après avoir prêché durant plusieurs jours dans les villages voisins, Jésus décida d'envoyer ses apôtres dans tout le pays. Il les réunit et leur expliqua ce qu'ils allaient devoir accomplir pour porter aux foules la bonne parole.

Il les entretint aussi de la manière dont il faudrait s'y prendre pour bâtir partout des églises dignes de Dieu. Et là, il n'avait pas à chercher loin. Son amour du bois et des outils, son sens de la construction, sa facilité pour le dessin, lui dictaient son propos.

Cet enseignement, d'ailleurs, lui coûtait peu. Il reprenait le discours que le bon Joseph lui avait si souvent tenu durant ses années d'apprentissage. C'est à peine s'il lui fallait l'adapter.

— Vous verrez, lorsque vous aimerez la maøtière, le travail et les hommes pour qui vous l'accomplirez, tout deviendra simple. Les êtres qui nous entourent n'ont rien. Il faut leur donner un toit et assez d'amour pour que naisse leur foi.

106

Les apôtres l'écoutaient en regardant le soleil qui se couchait derrière lui. Ainsi éclairée, sa chevelure semblait de feu. Non pas un feu brûlant, mais une lumière très douce, faite pour éclairer la route et réchauffer les cœurs.

32

Marie fit savoir à Jésus qu'une de ses amies qui allait marier sa fille, à Cana, en Galilée, l'avait chargée de préparer le festin. Elle insista beaucoup pour que son fils vînt à la noce avec ses apôtres.

— C'est entendu, nous irons. Et nous prêcherons tout au long du chemin.

Comme elle n'avait plus souvent la joie de cuisiner pour Jésus, Marie avait ressorti ses recettes préférées. Des gigots de mouton tournaient à la broche, ils étaient tout luisants de belle graisse. Des poissons qu'elle avait cuits au court-bouillon deux jours plus tôt attendaient dans des terrines entre des tranches de citrons, des épices et du vinaigre. Elle avait allégé toutes ses purées de légumes avec des blancs d'œufs montés. Ses biscuits, dorés comme des soleils, ruisselaient de gelée de fruits.

La présence de Jésus avait attiré beaucoup plus de monde qu'on en attendait. Très vite, le

108

sommelier vint annoncer à Marie qu'on manquait de vin.

— Ne vous en faites pas, fit-elle émerveillée de constater combien tous ces gens adoraient son fils. Exécutez seulement les ordres qu'il vous donnera.

Il y avait là des urnes énormes que Jésus fit porter près de la fontaine en ordonnant qu'on les emplisse d'eau fraîche.

— Mais c'est du vin qu'ils attendent ! Si on leur verse de l'eau, ils seront furieux.

— Ne vous inquiétez pas. Prenez plutôt ces urnes, portez-les près de la table du festin et emplissez les coupes des convives.

Les serviteurs s'exécutèrent avec des grimaces qui en disaient long sur ce qu'ils s'attendaient à entendre. Cependant, le vin qui coulait des urnes était un enchantement. Certains l'identifièrent comme étant un Médoc, et plus précisément un Saint-Julien. D'autres disaient que c'était un Graves. Le plus âgé des convives prit à part l'époux :

— Tout homme sert d'abord son meilleur vin. Puis, quand les invités ont beaucoup bu, il leur en offre du moins bon. Toi, tu as su réserver un très grand cru pour la fin et je t'en félicite.

À en juger par la joie qui illumina bientôt les visages et les cœurs, ce vin n'était pas seulement bon, il devait être très capiteux.

33

Certains disciples de Jésus n'avaient pas totalement renoncé à leur métier. Simon continuait de pêcher dans le lac de Tibériade tout en portant la bonne parole dans les villages alentour. Un jour qu'il rentrait au port, il vit que Jésus l'attendait sur le rivage.

— Tu n'as pas l'air d'avoir empli ta barque à ras bord !

— Non, Seigneur. Je n'ai presque rien pris.

— Ne te décourage pas. Regagne le large et lance ton filet.

— À pareille heure et avec ce soleil, je crois que c'est perdre mon temps.

— Tu ne perdras jamais ton temps en travaillant pour les pauvres.

Car, comme toujours, Jésus était suivi d'une horde misérable. Des gens qui crevaient de faim. Tous d'une maigreur effrayante. La beauté du lac où se reflétaient les montagnes huilées de lumière ne risquait pas de les émouvoir. Les femmes portaient sur leurs bras des nouveau-nés qui tétaient en vain leurs seins taris. Les enfants se traînaient sur le sable. Leurs os pointaient sous la peau couverte de plaies et de croûtes. La plupart étaient nus. Certains se collaient contre les jambes du charpentier. Ils réclamaient à manger. Le cœur brisé, Jésus implorait son Père en même temps qu'il regardait dans la direction de Simon.

Simon rama un moment et lança son filet. Lorsqu'il le retira, il dut faire appel à d'autres pêcheurs tant la charge de poissons était lourde. Il fallut quatre barques et quatre gaillards solides pour amener sur le rivage cette pêche fabuleuse.

— Seigneur, fit Simon en se prosternant aux pieds de Jésus, pardonne-moi d'avoir un instant douté de ton pouvoir.

Puis se retournant vers les autres pêcheurs, il cria :

— Prenez ma barque et mes filets ! Prenez ma maison ! Je n'ai plus besoin de rien. Je vais suivre mon seigneur et maître, et je n'aurai pas assez de toute ma vie pour chanter ses louanges et la gloire de son Père. Je peux vivre mille ans, plus jamais il ne m'arrivera de douter de lui. Ce que je viens de voir à travers mon propre métier m'a donné toute la mesure de son pouvoir, qui est illimité.

Et tout en parlant, il voyait Jésus qui distribuait les poissons à ces ventre-creux. Les visages rayonnaient. Avant même d'avoir avalé une bouchée, chacun semblait avoir repris des forces et le courage de vivre. Sans cesser de distribuer, Jésus les interrogeait sur leur vie et sur ce qu'ils aimaient. Sur leurs travaux et sur ce qu'ils souhaitaient entreprendre. Et toujours, il leur montrait leur propre avenir comme une charpente à monter.

— Mortaisez, chevillez, ne craignez jamais votre peine. Plus le bois est imprégné de sueur, plus il est solide. Mieux il résiste au temps.

34

Un matin que Jésus cheminait en bordure d'une vaste forêt en devisant avec ses apôtres, ils entendirent une cloche de malade.

Aussitôt, les apôtres s'arrêtèrent. Judas cria :

— Un lépreux ! Vite, passons au large !

— N'avez-vous pas honte ? s'indigna Jésus. Est-ce que cet homme n'est pas assez misérable d'avoir à porter ses plaies ? Vous voulez ajouter à sa souffrance en le plongeant dans la solitude !

Judas prétendit alors que seuls étaient atteints les dévoyés, les infidèles, ceux qui méritaient l'enfer avant même de descendre au tombeau. Déjà heureux qu'on dépose pour eux quelques croûtons de pain loin des maisons ou qu'on leur lance l'aumône depuis le haut d'une terrasse ! Jésus n'en croyait pas ses oreilles. Certains, parmi les douze, chuchotaient que Moïse avait eu cent fois raison d'édicter cette loi interdisant aux lépreux de se mêler au reste du peuple.

— Après tout, fit Pierre, il y a des léproseries. Ils n'ont qu'à y aller.

— Y avez-vous jamais mis les pieds ? cria Jésus. La plupart sont sordides et d'ailleurs elles sont bourrées à craquer. Mettez-vous à la place de ces malheureux. Leur vie est atroce. Tout le monde les repousse. Est-ce ainsi que vous entendez prendre le sentier qui conduit au royaume de mon Père ?

Les apôtres hésitaient encore entre la crainte et le repentir lorsque le lépreux apparut à la corne du bois. Croyant voir des soldats chargés de le repousser, le malheureux se lança sous le couvert du taillis, mais un épais bourrelet de ronces et d'épines en défendait l'accès.

— Voilà ce que vous êtes arrivés à faire de cet innocent ! s'indigna Jésus. Il est pareil au chevreuil qu'une horde de chasseurs est parvenue à cerner dans la clairière ! Ne dirait-on pas qu'une meute de chiens s'apprête à le dévorer ? Ne te sauve pas, brave homme ! poursuivit-il en s'approchant tout doucement Nous sommes là pour t'aider et pour prêcher la parole du Père.

Terrassé par la peur, l'autre en oubliait d'agiter sa clochette. Soudain, son visage s'illumina. Tombant à genoux dans la poussière du sentier, il joignit les mains en s'écriant :

— Seigneur tout-puissant, je te reconnais ! Tu es le Messie que Dieu a envoyé sur la terre pour que les humains cessent de se dévorer entre eux. Si tu le veux, je sais que tu peux guérir le mal qui me ronge.

Jésus étendit sa main droite qu'il posa sur la tête du lépreux :

— Je le veux. Sois guéri. Relève-toi et va reprendre ta place parmi les tiens.

L'homme se redressa. Alors les apôtres qui avaient fait cercle tout autour virent ses plaies se refermer. On eût dit que son mal tombait en poussière, emporté par le vent qui chantait avec les oiseaux dans la forêt proche.

Comme le miraculé le remerciait, Jésus lui dit :

— Tu n'as pas à me remercier. Rends grâce à mon Père et pardonne à ceux qui t'ont repoussé.

L'homme jeta sa cloche dans les fourrés et s'éloigna dans le soleil.

35

À présent, la popularité de Jésus était telle qu'on accourait de très loin pour se joindre au cortège de ses fidèles. Face à une foule pareille, le charpentier s'interrogeait.

« Comment pourrais-je les satisfaire ? »

— Il faut leur parler à tous, dit Pierre.

Non loin de là se dressait une montagne au sommet arrondi et complètement dénudé. Jésus décida d'y monter et tout ce monde suivit.

Quand il fut au faîte où était une roche plate, il s'y assit et attendit que chacun ait trouvé place. C'était très impressionnant de voir ces milliers de femmes, d'hommes et d'enfants, pressés les uns contre les autres, qui attendaient ses paroles comme les oisillons serrés dans leur nid attendent la becquée.

Lorsque le silence se fit, Jésus se leva et, promenant son regard sur ces gens, pour la plupart en haillons, maigres et maladifs, il leur dit :

— Heureux les êtres qui ont une âme de pauvre, car c'est à eux qu'appartient le Royaume des cieux !

Voyant que tous souriaient, que bon nombre d'entre eux semblaient s'aimer les uns les autres, il continua :

— Heureux les doux et les paisibles, car ils recevront la terre en héritage.

Comme, non loin de lui, une veuve vêtue de noir pleurait avec son enfant dans les bras, Jésus voulut lui témoigner sa sympathie :

— Heureux ceux qui sont dans le deuil et dans l'affliction, car ils seront consolés.

Aussitôt, des femmes se penchèrent sur la malheureuse et l'embrassèrent puis elles embrassèrent son bébé.

Et Jésus poursuivit son sermon en promettant aux assoiffés de justice que justice leur serait rendue, en affirmant que tous ceux qui avaient le cœur pur verraient Dieu. Puis, découvrant des soldats qui cherchaient à se dissimuler, il les fixa d'un œil dur. Haussant le ton, il lança :

— Heureux ceux qui font œuvre de paix, car ils seront appelés fils de Dieu !

Un murmure courut sur la foule et l'on vit nettement que deux des hommes s'éloignaient alors qu'un troisième, tirant son épée, la brisait d'un coup sur son genou et lançait les tronçons aux orties.

— Heureux, dit Jésus, ceux qui sont persécutés car le Royaume de mon Père leur est ouvert.

Il marqua un temps et sembla chercher ses mots avant de reprendre :

— Heureux ceux qu'on insultera parce qu'ils croient en moi et en ma parole. À eux aussi mon Père ouvrira son Royaume de lumière !

Un long moment coula. Le silence écrasait la foule. Le ciel limpide jusqu'alors sembla se charger soudain de grisaille. Au loin, dans la plaine, le vent soulevait des nuées de poussière, mais là où ils se tenaient, l'air demeurait immobile, comme dans l'attente d'un orage.

Et l'orage creva. Avec une voix de tonnerre, des gestes qui faisaient penser à des éclairs, Jésus se mit à crier :

— Malheur à ceux qui défendront leurs trésors avec trop d'acharnement et qui refuseront de partager avec les pauvres ! Malheur à ceux qui étant repus continuent de manger. Le jour viendra où ils auront faim et mendieront pour un morceau de ce pain qu'ils gaspillent aujourd'hui. Malheur à ceux qui rient alors que d'autres sont en deuil, ils apprendront combien les larmes sont amères !

Jésus ferma les yeux et laissa retomber ses bras. Son front luisait de sueur. Au-dessus de lui, il se fit dans le ciel une large déchirure. Un rai de soleil balaya la plaine où le vent semblait s'être calmé. Jésus rouvrit les yeux. Son visage s'était détendu.

— Je vous le dis, à vous tous qui m'écoutez : aimez vos ennemis. Faites du bien à ceux qui vous haïssent, bénissez ceux qui vous maudissent et priez pour tous ceux qui vous ont offensés. À qui te frappe une joue, tends l'autre joue, à qui te prend ton manteau, donne aussi ta tunique. Rendez le bien pour le mal, vous serez récompensés par le Père éternel car Il est la bonté même. Il sait aimer les ingrats et les méchants.

Visiblement fatigué, Jésus se tut et leva les mains comme pour dire : à présent vous pourrez aller en paix, je suis dans votre cœur. Mais personne ne bougeait. Pierre s'approcha de son maître et lui dit :

— Il faut que vous partiez. Ils vous suivront comme un troupeau suit son berger. Ils ont compris que vous êtes venu sur cette terre pour leur montrer le chemin à prendre.

Ils descendirent. À mesure qu'ils approchaient de la plaine, une bonne odeur d'eau et de forêt montait vers eux. La paix du soir était infinie. Il y avait tout juste assez de vent pour faire chanter les blés aux épis gonflés de promesses.

36

Depuis quelque temps déjà, Jésus sentait le besoin de revoir sa mère. Tout ce qui se passait le troublait énormément. Il éprouvait le sentiment de n'être plus tout à fait maître de ce qu'il faisait.

Marie fut bien aise de le voir arriver.

— Comme tu es maigre ! Ce que tu fais semble te fatiguer beaucoup plus que les chantiers que tu menais ici.

— Sans doute, fit-il en l'embrassant. Mais l'église que j'ai entrepris de bâtir est bien plus vaste, bien plus haute que tout ce que j'ai pu monter avec Joseph et après lui.

Il hésita. Il s'était assis à gauche de la table où il s'appuyait du coude. Il but de l'eau fraîche que Marie venait de lui verser. Il contemplait cette pièce avec un certain étonnement. Il avait peine à comprendre comment, après avoir si longtemps mené ici une vie paisible et effacée, il en était arrivé à se trouver à la tête d'un mouvement qui le dépassait souvent. Ayant médité un moment, il demanda :

— Dites-moi, ma bonne mère, quand j'étais enfant et qu'il m'arrivait de m'écorcher les genoux en tombant, lorsque j'avais mal à la tête ou que je perçais une dent, vous posiez sur l'endroit douloureux votre main et, presque tout de suite, la douleur disparaissait.

— Oui, et j'ai aussi de cette manière arrêté le sang qui coulait d'une entaille que Joseph s'était faite à la main gauche avec une gouge.

Elle se tut. Il se sentait un peu intimidé.

— Mais comment faisiez-vous ?

— J'ordonnais avec beaucoup de force à la douleur de cesser, à la plaie de se fermer... J'ai entendu dire que tu as guéri des femmes et des hommes, c'est que tu as sans doute le même don que moi.

Jésus se leva lentement. Chacun de ses mouvements témoignait d'une grande fatigue. Il marcha jusqu'à l'âtre, prit le tisonnier et remua les braises puis, se retournant soudain, il fixa sa mère intensément.

— Oui, fit-il d'une voix que Marie trouva étrange, on dit que j'ai guéri, mais je ne suis pas certain qu'il ne s'agissait pas de malades imaginaires.

Marie n'hésita pas. L'enveloppant d'un regard intense, elle répliqua d'une voix ferme :

— S'ils se croyaient malades, c'est qu'ils l'étaient. Peut-être pas du mal dont ils te parlaient, mais malades tout de même. Et si ta main les a soulagés, n'en demande pas plus. Remercie le Très-Haut de t'avoir aidé... C'est ce que j'ai toujours fait. Et il m'a toujours entendue. Mais je t'en conjure, ménage tes forces et ne commets pas d'imprudence.

37

Un jour, Jésus et ses apôtres entrèrent dans Capharnaüm. C'était une ville riche et florissante. Bâtie au nord de l'immense lac de Tibériade que traverse le Jourdain, elle regardait les eaux vers le sud comme pour s'emplir les yeux de reflets lumineux. Pierre et André y étaient nés et c'est pourquoi ils avaient tenu à y venir avec leur maître. Ils l'installèrent dans une petite maison pareille à celles des pêcheurs, juste au pied du port. Puis, comme il faisait très beau, ils l'emmenèrent marcher.

Les demeures des riches, des hauts fonctionnaires et des gros commerçants se trouvaient dans une longue presqu'île aux larges avenues bordées d'arbres. Les temples et les couvents, édifiés au sommet d'une colline, dominaient tout le pays. Aux flancs d'une colline plus abrupte s'accrochaient les habitations des artisans et des ouvriers tandis que dans les parties les plus basses pourrissaient les miséreux. Leurs masures croulantes s'enfonçaient dans des marécages d'où s'élevaient des tourbillons de moustiques. Les fièvres y faisaient des ravages.

Plus loin, sur une colline un peu en retrait, stationnaient les Romains. Ils s'étaient fait construire des casernes, des forts et un théâtre où, les jours de fête, ils donnaient des prisonniers en pâture à des fauves. Jésus fut écœuré par la vie que menaient les officiers de l'armée d'occupation.

Or l'un d'eux, qui avait cent hommes sous ses ordres, se présenta un matin. C'était un grand gaillard taillé à coups de hache dans un bois ligneux et noueux à souhait. Noir de poil et brun de peau, avec un regard capable de faire entrer sous terre les plus récalcitrants. Jésus le reçut courtoisement. L'officier n'en menait pas large. Tombant tout de suite à genoux, il expliqua de sa grosse voix rocailleuse dont on sentait bien qu'elle n'était guère habituée à prier :

— Seigneur tout-puissant, je ne viens rien demander pour moi. Un de mes serviteurs est à l'agonie. Il a du mérite et une nombreuse famille.

— C'est ton esclave ?

— Oui, Seigneur. N'empêche que je l'aime beaucoup.

— Tu l'aimes pour lui, ou pour le travail qu'il accomplit ?

— C'est vrai qu'il travaille bien, Seigneur, mais je suis très attaché à lui.

Jésus n'était pas dupe. Il eut un petit rire en répliquant :

— Dis plutôt que c'est lui qui est attaché à ton service.

L'autre se troublait. Il bredouilla :

— Si on veut... Mais...

— Mais tu me demandes d'aller le guérir. Eh bien, conduis-moi.

Le militaire se releva. Il semblait bouleversé.

— Seigneur, je sais combien ton pouvoir est grand. Nul besoin de te déplacer. Dis un mot et mon serviteur sera guéri.

— Tu le crois vraiment ?

— Je le crois dur comme pierre.

« Ce soldat se comporte comme un agneau », songea Jésus.

— Tu vas retourner vers ton serviteur. Tu le garderas à ton service, mais en le respectant et en le payant convenablement. Va. Fais ce que je te dis et ton serviteur sera guéri.

L'homme partit en remerciant. Jésus le regarda s'éloigner dans l'ombre fraîche de la ruelle.

— Nulle part encore je n'avais rencontré homme d'une aussi grande foi.

— Et c'est un soldat romain, soupira André.

— Oui, et c'est pour cela que nous n'avons pas le droit de désespérer de l'humanité.

38

Fatigué par tout le bruit qu'on faisait autour de lui, Jésus éprouva le besoin de s'isoler avec ses disciples.

— Suivez-moi, que nous soyons un moment tranquilles.

Il se dirigea vers la partie la plus aride du désert. Il faisait une chaleur étouffante. Le soleil cuisait la peau. Pas un poil d'herbe sur ce sable et ces cailloux. Mais Jésus contemplait ces immensités griffées de soleil et s'extasiait :

— Quel silence ! Voyez comme il est agréable d'échapper à la ville et aux foules.

Ses compagnons qui transpiraient à flots et tiraient la langue n'osaient se plaindre. Ils suivaient parce qu'ils avaient pris l'habitude de suivre. Et nul ne se retournait.

Il y avait plus d'une heure qu'ils allaient ainsi, comme attirés par cette immensité à odeur de fournaise. Au loin, on ne voyait que le miroitement de la lumière sur la lumière.

Soudain, Jésus s'arrêta :

— On dirait qu'un peu de vent se lève.

Il se retourna pour voir et fut un instant sans voix. À moins de cent pas derrière eux, une foule immense suivait. C'était le bruit de tous ces pieds sur le sable qui avait attiré l'attention du charpentier. Un instant irrité, il eut vite fait de pousser hors de lui ce mouvement d'humeur. Touché par tant de foi, il fit signe aux fidèles d'approcher.

La multitude l'entoura. Malgré sa fatigue, il se mit à parler de son Père. Et il le faisait avec tant d'ardeur que tous en oubliaient le soleil aveuglant et la chaleur atroce.

Alors qu'il marquait une pause, un enfant d'une douzaine d'années s'approcha :

— Seigneur, je n'y comprends rien. Tu nous parles de ton père qui est Dieu et qui se trouve au ciel où il a toujours été. Tout le monde raconte que tu es le fils de Joseph, le charpentier de Nazareth !

Jésus sourit. Posant sa main sur la tête de l'enfant, il expliqua :

— En réalité, mon petit, je suis le fils du Tout-Puissant. Mais, comme Il m'a fait naître sur la terre, Il m'a confié à un père nourricier. Ce père était Joseph qui m'a enseigné son métier.

Disant cela, Jésus revit l'atelier avec sa belle lumière sur le bois et les copeaux. Il évoqua l'odeur si particulière des résineux quand les dents de la scie attaquent la chair du bois. Même les menuisiers et les charpentiers n'avaient

Jésus, le fils du charpentier

jamais entendu parler ainsi du bois et des charpentes. Ils découvraient que ce métier qu'ils exerçaient depuis des années comptait parmi les plus beaux du monde. Puis Jésus évoqua les voisins de son enfance, ceux qui lui avaient fait comprendre comment l'homme peut puiser sa joie dans une alliance étroite avec la matière qu'il façonne.

— Joseph, se rappelait-il, avait pour clients des laboureurs, des vignerons, des meuniers d'huile. Des gens pas plus riches que lui. Aussi le payaient-ils autrement qu'avec de l'argent dont on peut toujours redouter qu'il ne soit pas très propre. Nous vivions de cet échange du travail : contre le bois, l'huile d'olive, le vin, le blé, le foin pour nos bêtes ou la laine à carder et à filer.

La foule écoutait, subjuguée. Le temps filait. Le soleil était bas quand les apôtres s'inquiétèrent :

— Il faut les laisser rentrer chez eux. Car ils n'ont rien pris et c'est l'heure du repas du soir.

Jésus sembla très étonné. Il contempla un instant le couchant.

— C'est vrai. Je me laisse aller à parler et je fatigue tout le monde. Mais puisqu'il est l'heure de se nourrir, donnez-leur donc à manger.

— Ils sont plus de mille et nous avons en tout cinq pains et deux poissons.

— Et alors, partagez !

— Vous n'y pensez pas, ça fera une miette pour chacun.

128

— Combien de fois faudra-t-il vous le répéter ? Coupez des parts convenables et commencez à les distribuer.

Les apôtres avaient pris l'habitude de ne s'étonner de rien. Pierre et Jacques le Majeur commencèrent à couper les pains et les poissons tandis que les autres procédaient à la distribution. Et à mesure qu'ils prenaient des pains et des poissons dans la corbeille, il en venait d'autres. Ils arrivaient d'on ne sait où, frais et dorés, croustillants et souples de mie sous le couteau.

— Vous voyez, leur dit Jésus. Vous voyez, hommes de peu de foi, qu'il ne faut douter de rien.

Les femmes, les hommes et les enfants mangèrent tous à leur faim, et il resta même du pain que Jésus leur fit ramasser dans des corbeilles :

— Joseph était un homme d'une grande bonté mais, s'il m'avait vu gaspiller une miette de pain, je suis certain qu'il serait entré dans une grande colère. Suivez son exemple comme je l'ai toujours suivi et vous deviendrez des gens de bien. Ramassez les restes et emportez-les à la ville pour ceux qui n'ont pu venir ici. S'ils sont restés par manque de force, ils ont faim. S'ils ne sont pas venus par manque de foi, ils mangeront ce pain et peut-être finiront-ils par croire en la bonté de Dieu.

39

Après cette épuisante journée, tous regagnèrent leur demeure, et les apôtres exténués, ivres de chaleur et de clarté, furent bien aises de se retrouver à Capharnaüm. Il montait du lac une odeur et une fraîcheur qui donnaient envie de se plonger dans l'eau. Des lueurs couraient encore à la surface, comme si le ciel eût oublié là quelques reflets de crépuscule, prisonniers des profondeurs. Après un bon bain, tous se couchèrent avec la ferme intention de s'accorder une copieuse grasse matinée.

Cependant, l'aube pointait à peine que Jésus, apparemment insensible à la fatigue, tirait sur la corde de la cloche qu'il avait fait installer à côté de sa porte. Les douze apôtres se levèrent en hâte et accoururent, l'air mal réveillé.

— Que se passe-t-il encore ?

— Que vous est-il arrivé ?

— Rien. J'ai seulement décidé d'aller voir l'autre bout du lac, là où sort le Jourdain.

Pierre observa le ciel vers l'est et dit, entre deux bâillements :

— Cendres au levant rend le pêcheur prudent. Je crains fort une tempête.

— Peu importe, répliqua Jésus. Nous ne partons pas pour pêcher.

Ils furent bien obligés d'embarquer et de cingler vers le large. À peine avaient-ils navigué quelques minutes que le charpentier, allongé au fond du bateau, dormait à poings fermés. Les autres lui lançaient des regards d'envie, forcés qu'ils étaient de s'occuper de la manœuvre.

Leur esquif avait atteint le milieu du lac lorsque, avec une soudaineté et une violence inouïes, la tempête éclata. Le ciel noir comme de la suie était lardé d'éclairs, déchiré de remous et semblait vouloir écraser les eaux presque aussi sombres que lui. Des vagues énormes, crêtées d'écume où couraient des reflets d'incendie, soulevaient le bateau. Une voile se déchira. Pierre qui était à la barre hurlait des ordres. Le vacarme était infernal. Cependant leur maître, ballotté au fond de la barque, dormait toujours, trempé jusqu'aux os mais souriant aux anges.

— Réveillez-le, cria Pierre, nous allons sombrer !

À peine l'eut-on secoué qu'il se dressa, tout étonné et un peu courroucé d'être ainsi arraché à ses rêves.

— Qu'avez-vous ?

— Seigneur, le bateau va couler...

S'accrochant d'une main au bordage, Jésus se leva et les regarda :

— Mais où est donc votre foi ?

Pierre cria :

— Ne voyez-vous pas la tempête ? Je l'avais prédit... Nous sommes perdus !

— Et moi je vous demande où est votre foi ?

Médusés au point d'en oublier la manœuvre, les apôtres se demandaient si leur maître n'avait pas perdu la raison. Alors, se dressant un peu plus, Jésus regarda les nuées d'où l'averse striée de foudre continuait de tomber. Sa barbe ruisselait, ses cheveux étaient collés à son front où se reflétaient les lueurs. Levant un bras, il brandit le poing vers les hauteurs sombres :

— Foudre du diable, nuées d'enfer, vous usez en vain vos forces ! Cessez de vous acharner sur nous, nul ici ne vous redoute. Nous traverserons le lac sans nous soucier de vous.

Aussi vite qu'il avait éclaté, l'orage s'arrêta. Plus d'éclairs, une large déchirure des nuées laissa paraître un ciel d'un beau bleu transparent.

Les vagues cessèrent de déferler et d'une houle très douce monta une brume irisée.

Les voiles se mirent à fumer dans la chaleur.

Plus le moindre souffle de vent.

Pierre qui était toujours à la barre observa :

— C'est merveilleux ! Vous nous avez sauvés. Mais nous allons devoir continuer à la rame car vous avez tué le vent.

Le regardant droit dans les yeux, Jésus lui lança :

— Eh bien si tu es pressé, fais comme moi, continue à pied !

Sans attendre, il enjamba le bordage et se mit à marcher sur les eaux.

— Allons, suis-moi si tu crois en moi.

Pierre le suivit. Mais pris de peur, il n'osait avancer. Il s'affola et se mit à trépigner. Revenant vers lui, Jésus le prit par la main et l'obligea à marcher.

— Homme de peu de foi, pourquoi doutes-tu ?

Ils firent ainsi le tour du bateau puis remontèrent à bord. À peine Pierre avait-il repris sa place à la barre qu'une bonne brise se leva et gonfla les voiles. Elle poussait droit dans la direction où ils voulaient aller.

Tous les apôtres contemplaient Jésus debout sur un banc de nage, fumant de buée dans le grand soleil, et tous pensaient :

« Il est vraiment le fils de Dieu. »

Jésus profita qu'ils se trouvaient au sud du lac de Tibériade pour envoyer certains de ses apôtres prêcher dans la vallée du Yarmouk. Ne gardant avec lui que Pierre, Jacques et Jean, il décida de monter au sommet du mont Thabor où il ne s'était jamais rendu. Ils grimpèrent donc par un sentier coupé d'éboulis, bordé de ronciers, mais qui les hissait en leur offrant une vue très large de la vallée avec, tout au fond, le miroitement du lac. De là-haut, on avait l'impression que la terre était percée et qu'on voyait luire le ciel de l'autre côté.

— Ce monde est de toute beauté, dit Jésus. Prions pour que la folie des hommes ne vienne jamais troubler sa sérénité.

Ils se mirent à prier. Après un moment, presque angoissés par l'épaisseur du silence, les trois apôtres levèrent les yeux vers leur maître. Or, ce qu'ils virent les laissa un moment incrédules. Jésus était transfiguré. Son visage dont les traits se devinaient à peine était pareil à un globe de feu. Comme un soleil posé sur ses épaules. Son vêtement avait la blancheur et l'éclat des neiges à midi. Son ombre même sur le sol semblait de feu et, pourtant, l'herbe ne s'enflammait pas.

Les trois amis se regardèrent. Chacun avait besoin de s'assurer qu'il n'était pas le jouet de quelque sortilège. La vision dura si longtemps qu'elle finit par les aveugler un peu. Comme ils étaient très fatigués par leur longue marche, ils s'endormirent sur le sol, à l'ombre d'un buisson.

La nuit passa vite. Le matin baigné de rosée et de fraîcheur odorante les réveilla. Lorsqu'ils ouvrirent les yeux, Jésus se tenait toujours à la même place, toujours resplendissant de lumière, mais en compagnie de deux étrangers avec qui il se trouvait en grande conversation.

Ni Pierre, ni Jacques, ni Jean n'avaient jamais vu Moïse et Élie. Mais ils les reconnurent tout de suite. Pierre s'avança et proposa timidement :

— Seigneur, ce lieu est agréable. Dressons une tente et vous inviterez Moïse et Élie à passer quelques jours en notre compagnie.

À peine avait-il prononcé ces mots que le ciel pourtant si limpide s'obscurcit d'un coup. De ces nuages noirs qui enveloppaient la montagne, une voix de tonnerre éclata :

— Celui qui vous a conduits ici est mon fils bien-aimé. Lui seul peut décider de tout. Fiez-vous toujours à sa parole, elle est le reflet de ma volonté.

Les disciples, qui redoutaient la colère divine, se jetèrent à terre en implorant pitié.

— N'ayez pas peur, dit Jésus. Nul ne vous veut de mal. Mais il est des moments où vous devez savoir vous passer de moi. Cessez de vous conduire comme des enfants.

Ils se relevèrent pour constater que leur maître avait tout à fait retrouvé son apparence humaine. Et le ciel était de nouveau très clair.

— Il fait bon ici, remarqua Jésus, et vous avez besoin de repos. Nous allons y passer le reste de la journée puis nous y dormirons. Il suffit de ramasser du bois mort et de préparer un bon foyer.

Ils firent ainsi et vécurent une belle nuit sous un ciel constellé où filaient des étoiles.

41

Jésus aimait les humains, il aimait les bêtes, il aimait tout ce qui portait vie. Ce qui ne l'empêchait pas de nourrir des sentiments plus forts pour certains êtres et certains lieux. Ainsi prenait-il grand plaisir à se rendre à Béthanie. Depuis ce petit village bâti au sommet d'une colline, à une bonne heure de marche de Jérusalem, il se plaisait à contempler la vallée du Jourdain et la vaste étendue scintillante de la mer Morte. Ce paysage lui parlait un langage que, peut-être, il était seul à entendre vraiment. Fuyant le bruit, les tracasseries et la poussière de la ville étouffante, il venait ici prendre un repos mérité et méditer sur ce qu'il entendait entreprendre de nouveau pour mener à bien sa mission.

À Béthanie, il s'était lié d'amitié avec un nommé Lazare qu'il estimait beaucoup. Lazare demeurait tout en haut du village, avec ses deux sœurs, Marthe et Marie Madeleine. Chez eux, Jésus se sentait vraiment chez lui. Leur amitié sans détour lui était d'un grand réconfort. Il faut ajouter que la maison était très confortable et la table toujours bien garnie.

Or, dans une période où Jésus se trouvait fort occupé par des prêches d'une grande importance, Lazare tomba gravement malade. Nul docteur ne semblait en mesure de le traiter convenablement. Comme son état empirait, Marie Madeleine et Marthe envoyèrent Henri, leur plus fiable serviteur, à Jérusalem avec mission de prévenir Jésus.

— Ton maître n'est pas en danger. Sa maladie lui est venue pour la plus grande gloire de Dieu.

— Comment a-t-il pu te dire une chose pareille ? s'étonnèrent les deux sœurs quand Henri leur rapporta ce propos.

Mais, comme il s'agissait d'un garçon très dévoué et à l'esprit éveillé, elles n'avaient aucune raison de douter de lui. De plus, connaissant Jésus depuis près de deux années, elles étaient habituées à ses discours dont elles ne saisissaient pas toujours le sens. Elles se mirent en prière et attendirent.

Alors que les premières lueurs du jour entraient dans la pièce, Lazare, qui n'avait pas repris connaissance, rendit le dernier soupir. On fit tout de suite prévenir Jésus, mais il venait de partir et on mit deux jours à le rejoindre. Le temps qu'il revienne, il ne parvint à Béthanie que quatre jours après le décès de son ami qu'on avait déjà porté au tombeau.

Lorsque Jésus entra dans cette maison où il avait si souvent connu des heures de parfait bonheur, il y trouva les deux sœurs en larmes. Il faisait sombre. Les meubles mêmes semblaient porter le deuil.

— Ah ! Seigneur, s'écria Marthe, si vous aviez pu venir avant sa mort, je suis persuadée que vous l'auriez guéri !

— Marthe, ne pleure pas. Tu sais bien que ton frère ressuscitera.

— Oui, il ressuscitera comme nous tous au jour du Jugement dernier pour comparaître devant Dieu...

Jésus l'interrompit :

— Et si je te dis que celui qui a vraiment la foi vivra même si on l'a vu mort, me crois-tu ?

— Oui, Seigneur, puisque je sais que vous êtes le Christ que Dieu a envoyé en ce bas monde pour le bonheur de l'humanité.

À peine venait-elle de prononcer ces mots que la porte s'ouvrit livrant passage à de nombreux amis de Lazare venus embrasser les deux sœurs. Tous voulaient les consoler, mais tous pleuraient autant qu'elles.

— Allons, lança Jésus, séchez vos larmes et ayez foi en mon Père. Accompagnez-moi au lieu de la sépulture.

Tous le suivirent mais bien peu sans pleurer.

Arrivé devant la pierre énorme qui fermait le caveau, Jésus se tourna vers ses apôtres et ordonna :

— Soulevez cette dalle !

Ils unirent leurs forces et firent basculer la pierre. Leur maître se pencha vers le tombeau d'où montait déjà une odeur fétide. D'une voix forte, il lança :

— Lazare, mon ami, lève-toi et sors de ce trou noir !

Émerveillés, ils virent alors Lazare se dresser, l'air étonné de découvrir tant de monde à son réveil. Jésus lui tendit la main pour l'aider à sortir du caveau. Ses sœurs le délivrèrent du suaire et des bandelettes qui enveloppaient ses membres. Jésus remercia son Père de l'avoir exaucé.

Il n'y avait pas là que des gens déjà acquis à l'enseignement du Christ. Mais tous le furent soudain, car tous avaient senti monter de la terre l'odeur si caractéristique de la mort. Il n'était plus permis de douter.

Lazare et ses sœurs entraînèrent Jésus et ses apôtres vers cette demeure qui était pour eux tous la maison du bonheur. Tandis que les serviteurs se hâtaient de préparer un repas de fête, le charpentier et ses compagnons montèrent sur la terrasse d'où la vue était si belle. Et là, face à ce paysage, ils se mirent à chanter la gloire de Dieu.

42

Peu de temps après, Jésus s'en fut dans un village de vignerons. Il aimait ces régions où l'on cultivait la plante éternelle et il avait pour ceux qui en prenaient soin une affection toute particulière. D'abord, il aimait les tonneaux. Il voyait dans ces récipients de planches assemblées si parfaitement une manifestation du génie humain. Aussi est-ce tout naturellement que lui vint cette parabole :

— Le Royaume des cieux est pareil à ce vigneron qui loue des hommes pour une journée et leur promet un denier. Trois heures plus tard, il en loue d'autres, puis d'autres encore à midi. Enfin, une heure avant la fin du jour, il en voit qui attendent sur la place du village en jouant aux quilles. « Pourquoi ne travaillez-vous pas ? » « Personne ne nous a embauchés. » « Allez donc dans mes vignes, vous pourrez y travailler et vous serez bien payés. » Les hommes s'y rendent, et quand vient l'heure de la paie, le patron donne un denier à tout le monde. Ceux qui ont transpiré depuis l'aube sous le soleil expriment leur mécontentement. « Je ne vous fais tort de rien, répond le patron. Je vous avais promis un denier, je vous le donne et je donne aussi un denier aux ouvriers de la onzième heure... Et moi je vous le dis à tous : souvenez-vous toujours qu'au Royaume de mon Père les derniers seront les premiers et les premiers seront les derniers. »

Les vignerons quittèrent le temple où Jésus venait de leur parler. Ceux d'entre eux qui étaient bons et généreux souriaient d'aise, les autres — mais ils n'étaient pas nombreux — marchaient d'un air accablé, comme si la pioche qu'ils portaient sur l'épaule s'était trouvée soudain plus lourde que la veille.

43

Au lendemain de cette journée passée au cœur du vignoble, Jésus reprit sa route. Vers midi, il entra dans un temple pour se recueillir à l'ombre. Il régnait là une bonne fraîcheur avec cette odeur si caractéristique des grosses pierres quand elles transpirent. Chaque fois qu'il s'arrêtait en pareil lieu, Jésus avait une pensée émue pour les carriers, les tailleurs de granit, les charpentiers et les sculpteurs.

Des fidèles étaient en prière. Un groupe d'hommes parlaient. Plus loin se tenait debout, dans une pose de grand orgueil, un pharisien qui demandait à Dieu de lui rendre grâce de toutes ses qualités, car il était juste et peu comparable aux autres hommes. En retrait, se trouvait un publicain qui se frappait la poitrine en implorant :

— Mon Dieu, ayez pitié de moi qui suis un pécheur.

Jésus les écouta un moment puis, se tournant vers des gens qui l'avaient reconnu, il leur dit :

— Inutile de vous montrer du doigt celui de ces deux hommes qui rentrera chez lui justifié. Car vous devez le savoir : quiconque s'élève sera abaissé et quiconque s'abaisse sera élevé.

Roide et confit d'une fierté ridicule, le pharisien sortit le premier. Le publicain vint demander à Jésus sa bénédiction puis, toujours humble, il retourna à son travail, bien décidé à exercer sa fonction en toute quiétude et en faisant preuve de mansuétude.

Jésus s'éloigna des groupes et demeura un long moment à contempler la charpente qui ressemblait à une coque de bateau retournée. Et il se laissa aller un moment à rêver que, sur une mer calme, une immense nef emportait vers le ciel tous les charpentiers du monde.

44

Un soir qu'ils s'étaient arrêtés pour manger et dormir sur une colline plantée de très vieux oliviers, Jésus réunit ses compagnons de route et leur dit :

— Demain, il fera un temps splendide. Ce sera un très grand jour pour moi. Car je vais entrer dans Jérusalem où la foule me fêtera. Mais il est écrit que mes ennemis, qui sont aussi les ennemis de mon Père, m'attendent également. Ils se moqueront de moi. Ils m'insulteront et me cracheront au visage. Ils me flagelleront, me couronneront d'épines et me mettront à mort en m'infligeant un terrible supplice.

— Alors, Seigneur, ne montez pas à Jérusalem. Restez parmi nous.

— Je vous en prie, ne vous tourmentez pas pour moi. Ce qui est écrit doit s'accomplir. Car tout ce qui arrive est la volonté de mon Père et tout se fait pour Sa plus grande gloire. Surtout, ne vous lamentez pas. Car il est également annoncé que je ressusciterai le troisième jour...

Le lendemain, le ciel était d'un bleu si pur et si transparent qu'on avait envie d'y plonger comme en la plus limpide des eaux.

Le soleil et un bon petit vent frais jouaient dans les branchages. Un peu de poussière dorée se levait des terres et des sentiers. Au chant des oiseaux se mêlait la stridulation de milliers de criquets et de cigales. C'était, à n'en pas douter, un jour de fête.

Ils marchèrent une bonne heure. Étant parvenu au pied du mont des Oliviers où il s'était si souvent rendu avec ses apôtres, Jésus s'arrêta. Tendant le bras, il leur montra un hameau bâti à mi-côte.

— Allez jusqu'à ces maisons. Entre la deuxième et la troisième il y a une petite cour où vous trouverez une ânesse dans la force de son âge. Détachez-la et amenez-la ici. Elle appartient à des paysans. S'ils vous demandent pourquoi vous la prenez, dites que j'en ai besoin. Ils vous la laisseront volontiers et vous donneront même un peu de leur foin pour la nourrir ce soir.

Les disciples revinrent bientôt avec l'ânesse que son propriétaire avait tenu à parer de ses plus beaux harnais. Elle semblait très fière d'avoir été choisie pour mener Jésus à la tête de ce très long cortège d'où s'élevaient des chants d'amour.

La rumeur courait vite à Jérusalem. Apprenant le retour de celui qui prêchait si bien, des milliers de gens s'étaient massés le long des rues.

La plupart agitaient de longues palmes, des rameaux d'olivier ou des fleurs. Certains étendaient leur manteau sur la chaussée pour faire comme un tapis à Jésus et à ceux qui le suivaient. Et tous criaient :

— Hosanna ! Hosanna ! Sois béni, roi d'Israël !

45

Retrouvant Jérusalem, Jésus ne put retenir ses larmes. Ceux qui s'en aperçurent furent persuadés qu'il pleurait de joie. Voyant remuer ses lèvres, ils crurent qu'il remerciait son Père pour l'accueil triomphal que lui faisait cette ville qu'il aimait tant. S'ils avaient pu saisir ne serait-ce que quelques-unes de ses paroles, sans doute n'auraient-ils pas compris.

— Ville qui crois m'aimer aujourd'hui, demain tu me trahiras. Mais ce n'est pas pour moi que j'ai peur. C'est pour toi. Car il te reste peu de temps à vivre en paix. Des ennemis vont venir qui s'acharneront sur toi et sur ton peuple. Tu vas connaître des temps plus durs que la révolte des maccabées. Ce que Hérode a édifié à grands frais sera détruit. Tu te révolteras encore quand arrivera un empereur qui fera construire avec les pierres de tes ruines une ville païenne qu'il interdira au peuple juif. À leur tour les maîtres de l'Islam te prendront et te transformeront. Viendront ensuite des hommes d'armes qui porteront pour emblême la croix des martyrs fidèles à mon Père, mais c'est dans le sang qu'ils te captureront et voudront te garder. Des siècles de tourments passeront. Puis tu seras partagée et ceux qui resteront en toi vivront dans la haine et la douleur. Le sang coulera sur le sol de tes rues. Je souffre pour toi, cité que j'aime et qui veux me perdre. Je souffre pour le peuple juif car des temps viendront où un tyran bien plus cruel que ceux d'à présent voudra les exterminer tous. Il les déportera loin d'ici et la fumée des bûchers où il tentera de les brûler noircira le ciel.

Jésus parlait ainsi pour lui seul en continuant de traverser la ville pavoisée. Les rues étaient jonchées de fleurs sous une lumière écrasante vers laquelle s'élevaient les chants de la foule en délire.

Il arriva au temple. Un lieu dont il avait toujours aimé le calme et la pureté. La prière semblait sourdre des pierres pour baigner de tendresse le cœur des êtres qui venaient y méditer.

Tout au fond de l'édifice se trouvait un recoin d'ombre fraîche que perçait un rai de soleil tamisé par un voile et qui semblait irréel. C'était là que Jésus aimait à s'agenouiller. C'était là qu'il voulait se rendre pour s'entretenir avec son Père. Et déjà il pensait à ce moment qu'il espérait vivre avant que ne sonne pour lui l'heure de la douleur.

Or, comme il atteignait le parvis, Jésus fut effrayé. Ce n'était plus le portail d'un temple, c'était un foirail ! Les étals encombraient le sol. Pas une dalle sans un banc, un tapis, une natte où s'étalait tout ce que le monde des marchands peut trouver à vendre. Il en était de même à l'intérieur. Sous ces voûtes sacrées réservées à la méditation et à la prière, on entendait bêler les moutons destinés au sacrifice. Des cages pleines de volaille, des lampes, des casseroles, des fruits, des légumes, des fleurs et toutes sortes d'objets neufs ou usagés, des montagnes de pacotille.

Jésus parvint d'abord à se contenir. Puis il tomba sur des châles et des foulards où l'on avait peint et brodé son nom, son propre visage avec des paroles qu'il avait prononcées. Sur d'autres étoffes étaient dessiné le portrait de sa mère et lui-même, nouveau-né, dans la crèche de Bethléem.

Là, il explosa. Se précipitant sur un banc où étaient empilées des assiettes portant le portrait de Joseph et le sien, il le souleva, le renversa et, arrachant une longue planche, se mit à cogner sur tout ce qu'on proposait à la vente. Sa rage était d'une violence inouïe. Épouvantés, les marchands tentaient de s'enfuir. Jésus éventrait les cages d'où la volaille s'envolait en piaillant et en perdant des plumes. Il brisait à coups de pied et de planche tout ce qui lui tombait sous la main. Sa planche s'étant fendue, il ramassa le fouet qu'un maquignon venait d'abandonner et se mit à faire claquer la mèche au-dessus des têtes. Les vendeurs abandonnaient toute leur marchandise pour détaler avec leurs clients affolés.

D'une voix à faire trembler le temple, Jésus hurlait :

— Hors d'ici, immondes mercantis. Libérez ce temple qui n'est fait que pour la prière ! De cette demeure de mon Père réservée à la méditation et aux offices sacrés, vous faites un lieu de commerce, de vice. Une véritable caverne de voleurs !

Et il continuait de faire claquer son fouet aux oreilles des marchands qui décampaient, épouvantés. Tous fuyaient comme le vent, renonçant à sauver ce qu'ils avaient apporté. Et bon nombre d'entre eux se frappaient la poitrine en se lamentant :

— Notre métier est à jamais maudit. Nous avons souillé ce lieu sacré. Nous avons mérité la colère du Très-Haut !

46

La fureur de Jésus mit Jérusalem en émoi. Le peuple l'admirait. Mais tous ceux qui vivaient du négoce étaient furieux contre lui. Les puissants se mirent à le détester davantage car sa gloire leur faisait de l'ombre.

Les apôtres tentèrent d'entraîner leur maître loin de Jérusalem. Sa réponse ne variait jamais :

— Il faut que la volonté de Dieu s'accomplisse.

Or, parmi les douze, il en était un qui avait eu quelques contacts avec ses ennemis. Un courtaud à barbe noire avec tout le devant du crâne dégarni. Regard sombre et fuyant, sous des paupières lourdes. Judas. Aimant jouer et boire, il se trouvait toujours à court d'argent. C'était pourtant lui que Jésus avait désigné comme trésorier. Ainsi était le chef des apôtres qui aimait parfois à prendre des risques avec les hommes de son entourage. Peut-être voulait-il les mettre à l'épreuve ? Peut-être leur offrait-il le moyen de se sauver ?

Le climat était malsain. Les ennemis de Jésus ayant juré de le perdre cherchaient un moyen de l'arrêter sans provoquer de scandale.

— Il faut se saisir de lui la nuit, avait décidé le chef des gardes du temple.

Mais Jésus et ses disciples se méfiaient. Le soir, ils sortaient de la ville et montaient dormir soit sur le mont des Oliviers, soit sur d'autres collines, soit encore dans quelque village proche où des amis très sûrs leur offraient le gîte et la table.

Cependant, plus les jours passaient, plus le risque d'être pris grandissait.

Judas se rendit en cachette au quartier général de la police. Un haut fonctionnaire le reçut :

— Que veux-tu pour nous le livrer ?

— Que m'offrez-vous ?

— Trente deniers d'argent.

— C'est peu.

— C'est assez. Car tu sais que même sans ton aide, tôt ou tard nous le prendrons.

Les deux hommes marchandèrent encore un moment. Judas finit par céder. Dès qu'il verrait poindre une occasion favorable à une arrestation en douceur, il préviendrait.

Judas sortit alors pour rejoindre ses compagnons. Il y avait foule dans les rues, mais le traître marchait le regard vide, pareil à un animal qui ne voit rien, n'entend rien de ce qui se passe autour de lui. Il était atteint de la pire des maladies dont puisse souffrir un homme.

47

Jésus, qui se cachait dans une ferme isolée, envoya Pierre et Jean à Jérusalem avec mission d'acheter tout ce qui était nécessaire à la préparation de la Pâque juive. Ils devaient ensuite préparer le repas dans une magnifique villa que des fidèles mettaient à leur disposition.

— Pas de serviteurs, recommanda Jésus. Méfiez-vous de tout le monde. Vous cuisinerez vous-mêmes.

Les deux apôtres partirent dans les rues où grouillait une foule considérable de pauvres gens et de domestiques. Tous cherchaient au meilleur prix ce qu'il leur fallait pour ce jour de fête. Certains qui les reconnaissaient demandaient :

— Où est donc Jésus ? Il ne vient pas célébrer la Pâque ?

— Il viendra. Il viendra.

— Où ferez-vous le repas ?

— Ça, on ne sait pas encore !

« C'est terrible, songeaient-ils l'un et l'autre,

d'être obligé de mentir à ces fidèles qui l'aiment tant et ne lui veulent que du bien. Mais sait-on qui peut se cacher parmi eux ? »

Et Jean qui avait un peu appris à parler à la manière de son maître, ou qui tout au moins s'y essayait, déclara :

— Il est des moments où l'on doit se méfier du bien qui peut cacher le mal.

Ayant acheté tout ce qu'il fallait, les deux amis s'en allèrent préparer le repas. Quel plaisir pour eux ! Pierre savait à merveille griller les viandes et avait un don particulier pour les sauces aux herbes. Une bonne odeur emplissait la cuisine où un feu clair dansait devant le contrecœur noir de suie. Jean était le spécialiste des pâtes, des crèmes, de toutes les préparations délicates qu'il convenait de battre longuement et de cuire à petite braise. Ils s'entendaient très bien tous les deux à choisir les vins, à faire en sorte qu'ils soient à la température parfaite au moment voulu.

Quand Jésus et les autres apôtres arriveraient, tout serait prêt, le couvert dressé et les sièges en place.

C'était l'heure où le soleil achève de se coucher dans les vapeurs qui montent au loin de la mer et des plaines. C'était l'heure où, dans toutes les maisons de Jérusalem, une table était mise. Bon nombre de familles s'apprêtaient à festoyer sur les terrasses. Une fumée bleue pesait sur les ruelles et coulait vers les bas quartiers. Elle sentait bon mille odeurs de viande grillée et d'épices. Les premiers quinquets scintillaient en luttant contre les dernières lueurs du ciel. Une rumeur joyeuse montait.

Très haut, la lune à son plein se balançait doucement dans des profondeurs violines où clignotaient des millions d'étoiles.

48

Lorsque Jésus et ses disciples arrivent, la nuit vient de tomber. Une nuit épaisse, presque sirupeuse tant elle est lourde de senteurs mêlées. Les convives prennent place à une longue table, tous du même côté, six apôtres à droite de leur maître, six à sa gauche.

À droite, au bout de la table, Barthélemy, vêtu de blanc et de vert sombre, beau visage imberbe d'homme solide et sain. À côté de lui, Jacques le Mineur dont les longs cheveux châtains tombent sur la nuque presque jusqu'à sa robe rouge. Puis André au crâne chauve, à la barbe blonde et au long nez pointu. Accoudé à la table, comme écrasé, plus petit que jamais, se tient Judas. Pierre le domine de sa belle tête de vieux sage. Enfin, à côté de Jésus, se trouve Jean dont les longs cheveux encadrent un visage de fille. Jésus au milieu, avec un petit espace à sa droite et un autre à sa gauche où se trouvent Thomas avec son épaisse chevelure brune, puis Jacques le Majeur, Philippe vêtu de beige, Matthieu tout en bleu, Simon le barbu et, pour finir, Thaddée toujours un peu effacé. Ce sont leurs places. Ils se sont souvent trouvés ainsi, mais, ce soir, comme si le poids de cette nuit épaisse les écrasait, ils ne sont pas comme d'habitude.

Leur Seigneur tout le premier paraît sombre. Lui qu'ils ont connu si sensible à la bonne chère et aux bons vins a l'air de ne prendre aucun plaisir aux mets préparés avec tant de soin. Si bien que Pierre finit par lui demander si quelque chose ne lui convient pas dans ce repas. Jésus ne semble pas pressé de répondre. Il les dévisage tous l'un après l'autre comme s'il cherchait à lire ce qui est enfoui au fond de leur âme.

Le temps de boire quelques gorgées, puis, ayant reposé sa coupe sur la nappe blanche, il ouvre ses bras, étend ses mains comme s'il offrait ses paumes et les pose sur la nappe. D'une voix que la tristesse métamorphose et qu'ils ont du mal à reconnaître, il parle lentement.

— Ne soyez pas inquiets pour votre repas, il est excellent. Tel que je voudrais qu'on puisse en servir à tous ceux qui ont faim. Mais comme il est le dernier qu'il me sera donné de partager avec vous, il ne m'est pas possible d'être vraiment dans la joie.

D'un geste lent, il prend une pomme qui se trouve près de lui dans un panier. Il veut la faire passer de sa main gauche à sa main droite, mais elle lui échappe et roule entre les assiettes et les verres pour aller s'arrêter devant Judas. Judas ébauche un mouvement. Mais, très vite, il retire sa main et s'accoude de nouveau, en gardant le front baissé. Son regard passe au ras de ses sourcils épais.

Le silence est écrasant. La rumeur de la ville en liesse semble s'être éloignée. D'un geste maladroit, Simon déplace une coupe qui en heurte une autre. Le son légèrement fêlé paraît un énorme battement de cloche.

Jésus lève les yeux. Il interroge l'infini par-delà le plafond de la pièce, puis fixant à nouveau la nappe où il semble chercher une aide que nul n'est en mesure de lui accorder, il reprend la parole, toujours d'une voix qu'embrume une tristesse infinie :

— Je dois vous le dire, et ce n'est ni agréable ni facile, l'un d'entre vous me trahira et me livrera à mes ennemis.

Mouvement d'effroi. Les regards volent de l'un à l'autre comme des insectes fous. Ils se croisent sans oser s'arrêter. Plusieurs voix s'élèvent, comme à un signal après un silence de plomb.

— Seigneur, est-ce de moi que vous voulez parler ?

— Seigneur, ai-je bien compris ce que vous avez dit ?

— Seigneur, est-ce possible ?

Jésus laisse passer quelques instants avant de répondre :

— Celui qui a plongé sa main dans le plat de

viande en même temps que j'y plongeais la mienne est celui qui me livrera.

L'effroi des apôtres grandit encore. Chacun est persuadé de s'être servi de viande en même temps que le Christ et tous tremblent. Jésus les laisse s'interroger un moment avant de répondre :

— N'ayez aucune crainte, seul celui qui me trahira peut redouter la colère de mon Père. Malheur à lui. Celui-là, il eût mieux valu pour lui qu'il ne soit pas mis au monde.

Il se fait un silence épais. Dans la nuit qu'on sent proche, la lointaine rumeur de la ville est soudain déchirée par le triple appel d'un rapace nocturne.

Peut-être parce qu'il a l'impression que bien des regards se portent sur lui, d'une voix qui tremble beaucoup, Judas finit par demander :

— Est-ce moi, Seigneur ?

Jésus tourne la tête vers lui et le fixe au fond des yeux. Souriant, il hoche la tête pour répondre :

— Je n'ai pas dit cela... C'est toi qui le dis.

Un long moment très lourd coule lentement.

Il leur semble à tous que l'air s'est encore épaissi. Il devient gluant, pénible à respirer comme si les odeurs de graisse qui flottaient partout venaient soudain de se figer. Pourtant, rien n'est changé dans le soir. Des ruelles de la ville montent toujours des senteurs de joie et des échos de fête.

160

Profitant d'un moment plus calme, Jésus prend du pain, le bénit, le rompt et le distribue aux convives en disant :

— Prenez et mangez, ceci est mon corps.

Il mange en même temps qu'eux. Puis, prenant la coupe que l'on vient d'emplir, il la lève en disant :

— Buvez-en tous. Ceci est mon sang. Le sang de l'Alliance nouvelle versé pour vous et pour tous les humains en rémission des péchés... Faites ceci en mémoire de moi.

Ils se passent la coupe et tous boivent, mais les gorges sont nouées. Quand arrive le tour de Judas, certains croient remarquer que ses mains tremblent et qu'il a bien du mal à avaler. Quand la coupe revient à Jésus, il la pose sur la table devant lui et reprend la parole :

— Je ne boirai plus jamais de vin jusqu'au jour où, de nouveau, il me sera donné de m'attabler avec ceux d'entre vous qui m'auront rejoint au Royaume de mon Père.

Il laisse passer quelques instants qui semblent une éternité à ceux sur qui pèse son regard. Puis, d'une voix où l'on devine un brin d'émotion, il reprend :

— Mais seuls ceux d'entre vous qui auront su trouver le chemin qui conduit à ce royaume de lumière seront là. Et vous savez — je vous l'ai souvent répété — que si ce chemin est bordé de fleurs splendides, il est long et pénible. Il faut être fort pour le parcourir.

49

Se levant de table, Jésus les entraîna sur la terrasse d'où l'on dominait une grande partie de la ville et des collines environnantes. Du fond des vallées montait une brume qu'on ne pouvait voir mais qui portait le parfum de toutes les plantes du pays.

— Nous avons une belle et bonne terre, dit Jésus. Riche de tout ce que l'homme peut lui demander. Mais encore faut-il qu'il l'arrose de sa sueur.

Il s'approcha du muret blanchi à la chaux qui entourait la terrasse. Il s'y appuya des deux mains et se perdit un moment dans la contemplation de cette cité, de ces montagnes, de ces villages et des lointains à peine visibles où il avait si souvent cheminé pour porter la bonne parole. Tout ce qu'il avait accompli lui revenait. Sa vie était là, étalée devant lui, en transparence, avec une multitude de visages où il retrouvait les plus chaudes heures de son enfance.

Ses disciples demeuraient silencieux et immo-

162

biles. Tous l'observaient le cœur battant. Il ne leur avait jamais menti. Ce qu'il avait prédit s'était toujours réalisé. Le poids de son départ prochain les écrasait.

Après un long temps de méditation, Jésus se retourna. La lune accrochait à ses yeux des reflets de lumière froide, et il leur sembla que deux éclats d'étoile luisaient dans sa barbe. Pourtant, son visage n'avait pas changé. Et c'est d'une voix calme et grave, sans le moindre tremblement, qu'il leur dit :

— Mes chers frères, il me reste peu de temps à partager avec vous. Nul ne peut venir avec moi où je dois me rendre. Je vous demande en grâce de toujours vous aimer les uns les autres comme je vous aimerai jusqu'à mon dernier soupir. Cet amour que vous vous porterez et que vous offrirez au monde, ce besoin que vous montrerez de toujours prendre sur vous une part de la souffrance de votre prochain seront le signe à quoi l'on reconnaîtra que vous êtes mes disciples.

Comme il s'interrompait pour regarder encore le ciel étoilé et les lointains fiévreux, Simon Pierre fit un pas vers lui.

— Seigneur, pour quelle raison ne puis-je vous suivre ? Je suis prêt à donner ma vie pour vous.

— Tu donnerais ta vie pour moi ? Et moi je te dis qu'avant que le coq ait chanté, tu m'auras renié trois fois.

Simon Pierre n'osa répliquer. Il baissa les yeux car tous le regardaient durement. Jésus poursuivit :

— Souvenez-vous bien que tout ce que vous demanderez à mon Père en mon nom, il vous l'accordera. Et n'oubliez jamais que je suis le cep de la vigne dont vous êtes les sarments. Ne l'oubliez pas et vous serez chargés de beaucoup de raisin. Car les uns sans les autres nous ne pouvons rien. Je vais m'en aller, mais je resterai en vous comme je vous emporte en moi.

Il s'accorda encore le temps de faire lentement le tour de la terrasse pour embrasser des yeux la totalité de cet horizon qu'il avait tant de peine à quitter. Puis, se dirigeant vers l'escalier, il leur dit :

— À présent, je vous demande de m'accompagner jusqu'à ce jardin de Gethsémani où nous avons vécu de si riches heures dans la joie. C'est en ce lieu que mon destin doit s'accomplir.

Tous le suivirent dans l'escalier, puis au long de ces ruelles où la lune et les étoiles versaient une clarté d'eau calme.

50

Le jardin de Gethsémani se trouvait sur les premiers contreforts du mont des Oliviers. Il n'y avait personne dans l'allée où Jésus entra. Il se mit à prier comme il l'avait fait souvent, en se laissant bercer par le murmure des grands arbres et celui d'une source qui bondissait sur une série de rochers. La lune étirait des ombres lourdes sur les graviers. Rien ne semblait vivre en cette nuit, excepté la lancinante stridulation des insectes, mais c'était un bruit qui finissait par faire partie du silence.

Comme pour lui seul, Jésus murmura :

— Mon âme est triste jusqu'à la mort.

Puis, ayant fait quelques pas, il leva les yeux au ciel :

— Mon Père, s'il est possible, faites que le calice passe loin de moi, mais, quoi qu'il puisse m'en coûter, que votre volonté soit faite.

Respectueux du besoin de recueillement que manifestait leur maître, les apôtres se tenaient en retrait, priant eux aussi, le regard baissé vers la terre. Ils étaient là depuis un long moment lorsque l'air, au-dessus d'eux, fut froissé légèrement. Levant la tête, ils virent une colombe, dont la blancheur semblait presque irréelle, voler droit vers Jésus et, sans marquer la moindre hésitation, se poser sur son épaule gauche.

Comme s'il eût attendu sa venue, le Christ ne broncha pas. L'oiseau s'immobilisa et parut écouter les mots que murmurait le fils de Dieu. Les apôtres s'interrogeaient les uns les autres du regard.

Quand Jésus se releva, la colombe resta sur son épaule. Elle se tenait bien droit et sa tête oscillait d'avant en arrière à chaque pas que faisait celui qui la portait.

— Ne soyez pas étonnés, expliqua Jésus, cet oiseau est celui de la paix qui doit rester au cœur des hommes, même quand tout se conjugue pour que s'y glissent la haine et le désir de vengeance.

Il fit encore quelques pas et tous le suivirent. Puis, s'arrêtant de nouveau, les ayant tous regardés intensément, il reprit :

— Vous allez demeurer ici, et me laisser m'avancer seul vers le lieu où je dois me rendre parce que mon Père me l'ordonne. Mais je vous demande de veiller.

Jésus s'éloigna, toujours avec la colombe sur son épaule. Au bout de l'allée, il tomba à genoux et l'oiseau surpris s'envola pour se poser sur une branche basse qui se balança lentement. Jésus fut alors pris de tremblements. La sueur ruisselait sur son front et son corps. Il semblait une roche soudain devenue source.

— Je vous en supplie, mon Père ! Donnez-moi la force de ne rien faire qui soit contre Votre volonté. Donnez-moi le courage d'accepter ce que mes ennemis inventeront de pire pour me torturer.

Comme il relevait la tête, apparut, qui venait d'une allée voisine, un mendiant dont la robe gardait sa clarté lunaire même lorsqu'il passait à l'ombre épaisse des cyprès et des cèdres centenaires. Cet homme qui paraissait très vieux marchait pourtant d'un pas souple et léger. Il posa sur le Christ un regard plein de bonté, hocha la tête lentement et murmura :

— Sois fort, mon frère, le monde a besoin de toi.

Et il disparut comme il était venu, sans que son pas fasse crisser les graviers. À peine avait-il tourné l'angle de l'allée que la colombe quittait sa branche et revenait se poser doucement sur l'épaule de Jésus qui rejoignit ses disciples.

— Levez-vous. L'heure est venue où je dois être livré. Celui qui me trahit n'est plus parmi vous. Mais il n'est pas loin d'ici.

Et son regard se porta vers l'entrée du jardin.

Troisième partie

L'homme qui portait sa croix

51

Les disciples s'étant retournés virent arriver Judas d'un pas pressé. Il se précipita vers Jésus.

— Seigneur, quel soulagement! Je m'étais égaré et je craignais de ne plus vous trouver.

Et il le prit contre lui pour lui donner un baiser.

Jésus eut un sourire triste.

— Tu me retrouves pour me perdre. Tu trahis ton maître par un baiser, et tu le fais sans rougir.

À ce instant précis, une troupe nombreuse et bien armée entra dans le jardin. Repoussant Judas, Jésus s'avança vers le chef.

— C'est Jésus de Nazareth que vous cherchez? Vous avez été bien renseignés. Me voici! Tout ce que je vous demande, c'est de laisser s'en aller mes amis.

Mais Pierre, furieux, se jeta sur Malchus, un des serviteurs du grand prêtre du temple. Lui arrachant sa dague, il lui en porta un coup qui lui fendit l'oreille.

— Lâche cette arme ! ordonna Jésus. Celui qui se servira de l'épée périra par l'épée.

Tout en parlant, il s'était approché de Malchus. Posant sa main sur la plaie, il arrêta le flot de sang. Dans l'instant, la blessure fut cicatrisée. Comme la troupe médusée hésitait à se saisir de lui, Jésus la regarda et dit d'une voix douce :

— Allons ! Faites ce que vos chefs vous ont ordonné. Montrez que vous êtes de bons soldats.

Les autres sentirent bien ce qu'il y avait d'ironie dans ce propos. Car ils étaient faits en effet pour exécuter sans broncher les ordres quels qu'ils fussent. Cependant, Jésus s'était tourné vers Pierre :

— Ne cherchez plus à me délivrer. Si je le demandais à mon Père, il enverrait aussitôt plusieurs légions pour me défendre. Mais je ne lui demande pas. Car tout ce qui est dans les écrits des prophètes doit s'accomplir.

Au moment où les soldats se précipitaient pour le frapper et lui lier les mains, la colombe, qui attendait perchée sur une branche de cèdre, fondit sur eux en poussant des cris aigus. Ils la repoussèrent à grands gestes.

Tandis qu'on l'entraînait, Jésus leva les yeux vers elle et murmura quelques mots qui se perdirent dans le tumulte. Que pouvait-elle contre ces brutes armées jusqu'aux dents ? L'oiseau au plumage tout luisant de lune s'envola un peu plus haut mais continua de suivre le cortège en décrivant dans le ciel étoilé de larges cercles. Son vol semblait laisser dans l'air limpide une légère poussière de lune. Des soldats que sa présence agaçait bandèrent leur arc et tirèrent dans sa direction une grêle de flèches. Aucune n'atteignit son but. Toutes s'écartaient au dernier moment, comme déviées de leur trajectoire par le bras du Très-Haut.

Loin derrière la troupe venaient les disciples. Eux aussi guettaient le vol de la colombe. Si bien que personne ne remarqua un mendiant à la robe chatoyante. Attiré par le tumulte, il suivait lui aussi en observant l'oiseau blanc.

Plus le cortège progressait, plus la foule se faisait nombreuse. La rumeur de cette arrestation allait devant et tirait les curieux de leurs maisons. Tous sortaient en hâte comme ils étaient sortis chaque fois que Jésus était venu leur apporter la bonne parole.

Parmi eux, des malades qu'il avait guéris de sa longue main, des aveugles auxquels il avait rendu la vue et qui le regardaient marcher, encadré par les soldats. Ils étaient là aussi ceux à qui il avait donné du pain quand ils avaient faim. Les voyant se presser par dizaines, puis par centaines, les apôtres furent bientôt habités d'une immense espérance. Il n'y avait, pour retenir le prisonnier, qu'une poignée de soldats. Certes, ils étaient armés. Mais que peuvent quelques épées contre une foule immense ?

Cependant, de cette marée silencieuse tout à l'heure, fusaient à présent des insultes, des railleries, bientôt des cris de haine.

— Ce sont pourtant bien les mêmes, soupirait Jean.

C'étaient les mêmes et ils ne se contentèrent pas de crier. L'un d'eux ramassa une pierre qu'il lança. Aussitôt les autres l'imitèrent. Leur maladresse était telle que les soldats leur ordonnèrent de cesser. Et la peur des coups obtint d'eux ce que n'avaient pu obtenir ni leur gratitude ni leur foi.

Prenant conscience de leur impuissance, les apôtres saisis de panique se sauvèrent pour n'être pas, à leur tour, conduits au supplice.

Seuls la colombe et le mendiant se refusèrent à abandonner Jésus. Mais personne ne faisait plus attention ni à l'une ni à l'autre.

Plus le cortège avançait, plus la foule était dense. Et plus elle se sentait forte, plus elle trouvait en elle de haine à exprimer.

Sur une place où le cortège resta bloqué un moment, Jésus, de sa voix qui pouvait dominer le tumulte, lança :

— Comme si vous aviez à combattre une armée de brigands, vous êtes sortis avec vos haches. Hier, dans le temple, j'étais seul. Toujours sans arme. Sans violence. Vous pouviez venir et vous saisir de moi, vous vous en êtes gardés. Vous préfériez me prier d'intercéder pour vous auprès de mon Père. Vous êtes-vous seulement demandé ce qu'Il pense de vous cette nuit, en vous voyant plus furieux après son fils que des loups affamés entourant un mouton ?

Mais la foule ivre de haine ne l'entendait pas. Cette foule qui avait si souvent bu avec avidité ses paroles d'amour et de paix était devenue sourde.

53

La nuit se faisait plus obscure. Levant les yeux vers les étoiles pour chercher le regard de son père, Jésus aperçut la colombe perchée sur le rebord de la toiture du palais de Caïphe où on le conduisait.

Caïphe était grand prêtre des Juifs. Sachant qu'on lui amènerait le Galiléen, il avait réuni chez lui les princes et les prêtres. On leur avait servi un souper fin arrosé de grands vins.

Les soldats firent entrer leur prisonnier aux mains toujours liées dans le dos. Les scribes étaient assis à gauche, leur planche sur les genoux. Caïphe se tenait au centre sur une estrade de quatre marches, les autres en retrait sur la droite. D'énormes torches éclairaient les voûtes comme en plein jour. Le palais était bâti de belles pierres. Contre une partie des murs et sur le sol, s'étalait une débauche de tapis, de tentures et de dorures.

Dès son entrée, Jésus remarqua un groupe d'hommes et de femmes qui, le voyant, baissèrent la tête en détournant leur regard. Il comprit que ceux-là étaient venus pour l'accabler. Sans doute étaient-il payés pour mentir. En effet, Caïphe se mit aussitôt à les interroger :

— Que savez-vous de cet homme ?

— C'est un Galiléen.

— Ce n'est pas une raison pour le condamner. Que pouvez-vous dire d'autre ?

— C'est un menteur.

— Il prétend guérir mieux qu'un docteur.

— Pouvez-vous rapporter des faits précis ?

Tous bredouillaient n'importe quoi. Nul n'avait rien de sérieux à rapporter. Rien qui fût vérifiable et qui pût être retenu contre l'accusé. Après un long moment, Caïphe fut bien contraint de se rendre à l'évidence. Furieux qu'on le fasse passer pour un imbécile, il entra dans une violente colère.

— Sortez d'ici ! Vous êtes venus pour accabler un homme dont vous ne savez rien. C'est vous que je devrais faire arrêter, juger et jeter au cachot !

Les faux témoins déguerpirent. Caïphe était perplexe. Il resta un moment à gratter son crâne chauve et à fourrager nerveusement dans sa barbe. Comme il soupirait profondément et ouvrait la bouche pour s'adresser au prisonnier, la colombe entra par la porte restée grande ouverte et vint tourner trois fois au-dessus de Jésus avant de repartir.

— Fermez cette porte ! hurla le grand prêtre.

Des gardes poussèrent les lourds battants de cèdre bardés de fer.

— Connais-tu cet oiseau ? rugit Caïphe.

— Je ne le connais pas, mais tous les animaux du monde me connaissent car je suis avec eux avant même d'être avec les hommes.

Caïphe sembla un moment déconcerté par cette réponse. Comme il cherchait quelle contenance adopter, Jésus reprit :

— Il s'agit d'une colombe. Elle veut que la paix soit toujours entre les hommes.

— Tu ne sais pas ce que tu dis ! Les colombes ne volent pas la nuit !

Toujours aussi calme, Jésus demanda :

— Mais êtes-vous bien certain que ce soit la nuit pour cette colombe ?

— Est-ce que cet homme ne serait pas sorcier ? s'inquiéta un des princes. Ce serait assez pour le condamner.

Près du portail, à l'endroit où se tenaient les gardes, il se fit un mouvement. Des hommes se bousculèrent. On entendit crier :

— Va montrer ton oreille !

— Allons, raconte ce qui t'est arrivé.

— Que se passe-t-il ? demanda un scribe.

Un officier s'avança en disant qu'un de ses hommes devait être appelé à témoigner.

— Qu'il avance ! rugit Caïphe que la colère habitait.

Deux soldats traversèrent la salle pour aller

Jésus, le fils du charpentier

se planter devant l'estrade de Caïphe qui commença d'un ton irrité :

— Alors ? Qu'avez-vous à dire ?

— Regardez la tunique de mon camarade.

— Je vois qu'il a saigné abondamment

— Un des acolytes de l'accusé, en voulant le délivrer, a blessé cet homme d'une entaille à l'oreille. Puis il s'est enfui. Pour éviter les ennuis, l'accusé a posé sa main sur la blessure. Dans l'instant, le sang s'est arrêté de couler et la plaie s'est refermée.

Caïphe regarda, fit parler d'autres soldats puis appela un médecin. Ce dernier examina l'oreille du soldat et déclara d'un ton hautain :

— Ou bien tout cela est faux, ou bien il s'agissait d'une égratignure chez un homme dont la peau cicatrise vite.

Un autre médecin vint et prétendit que tant de sang ne pouvait être que celui d'un animal égorgé.

— Ce soldat l'aura volé et emporté sur son épaule.

On en fit venir un troisième qui était professeur et qui entama un long discours sur les blessures et les cicatrices. Agacé, Caïphe le rappela à l'ordre vertement :

— On ne vous demande pas un cours mais une expertise. Veuillez examiner l'oreille de ce soldat et nous dire ce que vous en pensez.

L'expert examina longuement puis, toujours hautain, il conclut :

— Cette oreille ne porte pas trace de blessure. Il n'y a donc pas eu blessure.

Il se retira très digne. Le grand prêtre furieux se tourna vers Jésus après avoir renvoyé les soldats.

— Oui ou non est-ce toi qui te dis fils de Dieu ? Est-ce toi qui a déclaré que tu pourrais démolir le temple sacré et le reconstruire en trois jours ?

— Je suis très capable de le faire car je suis charpentier.

— Mais oui, ou non, es-tu fils de Dieu ?

— Nous sommes tous des enfants de Dieu le Père.

Caïphe commençait à bouillir. Toujours aussi calme, comme s'il eût souhaité venir en aide à cet homme que la colère risquait d'étrangler, Jésus sourit en ajoutant :

— Un jour, tu regarderas le ciel et tu me verras dans les nuées, assis à la droite de mon Père.

Caïphe bondit et manqua tomber de son estrade.

— Vous avez entendu ! Il a blasphémé ! Il se prend pour le fils de Dieu ! Que voulez-vous faire de témoignages, ses aveux sont bien suffisants. Quelle sentence voulez-vous prononcer ?

— La mort ! La mort ! La mort !

Tous crièrent en se précipitant pour cracher au visage de Jésus qui demeurait digne sous les gifles. Et beaucoup riaient en hurlant :

— Alors, fils de Dieu, appelle donc ton père !

181

— Tu t'es moqué de nous. Et l'autre, avec son oreille guérie, qu'on le flanque au cachot pour lui apprendre à mentir !

Tout le palais résonnait de leurs grands rires fous.

54

Durant ce temps, Pierre était resté dans la cour du palais pour tenter de savoir ce qui se passait. Des soldats s'y tenaient aussi et des curieux. Parmi eux, une femme qui vivait de ses charmes et fréquentait beaucoup les hommes d'armes. Un jour, Jésus lui avait conseillé de mettre un peu d'ordre dans sa vie. Sans doute gardait-elle de cette rencontre un souvenir amer, car lorsqu'elle reconnut Pierre, elle s'empressa de courir chercher un officier :

— Viens, il y a ici un des complices de Jésus. L'officier alla jusqu'à Pierre :

— Tu es de la bande de l'accusé, je t'arrête !

— Je ne vois pas de quoi vous parlez.

— Menteur ! brailla la femme. Je t'ai vu avec le Galiléen. Tu fais partie des douze qui sont toujours à le suivre partout et à prêcher avec lui.

— Cette femme est folle. Je vous jure que je n'ai jamais rencontré cet homme.

— Tu t'es trompée, dit l'officier à la femme. Tu as encore trop bu !

Comprenant qu'il était peu prudent de s'attarder plus longtemps là, Pierre fila en direction du portail gardé par trois factionnaires. Une vieille le reconnut. Comme les soldats lui donnaient parfois des restes de pain, elle voulut leur être agréable :

— Saisissez-vous de cet homme, c'est un des compagnons de celui qu'on juge.

Encore une fois, Pierre nia. Encore une fois, il jura qu'il n'avait jamais eu aucun contact avec Jésus.

Les soldats insultèrent la vieille en disant qu'elle s'était moquée d'eux. Pierre avait à peine fait vingt pas que deux hommes crièrent :

— Celui-là est de la bande. Il faut l'arrêter et le juger aussi.

— Mais vous êtes fous ! Je jure sur tout ce que vous voudrez que je ne connais pas ce prêcheur.

Cependant, les autres insistaient :

— Son accent le trahit.

— Voyez comme il a peur.

Pierre jura devant Dieu et les soldats le laissèrent libre. Il s'en allait quand il entendit un coq chanter. Il tremblait. Son front ruisselait d'une sueur glacée. Ses jambes avaient du mal à le porter. Sentant qu'il risquait de tomber, il s'assit sur une souche d'olivier proche du chemin. Il était là depuis quelques minutes et s'apprêtait à repartir, lorsque Jésus franchit le portail encadré par les soldats et injurié par le peuple. Comme il passait à sa hauteur, leurs regards se croisèrent. Pierre baissa les yeux mais il eut le temps de lire dans l'œil de son maître : « Tu m'as renié. Je suis triste, mais je te pardonne. »

Pierre s'écarta de la route où passait une foule en transe. Il s'engagea entre les oliviers aux troncs énormes et noueux dont certains avaient des allures de monstres. Il allait à pas lents. Il éprouvait une douleur inconnue. C'était comme si une poigne de géant eût serré sa poitrine et comprimé son cœur.

Il marcha longtemps. Il pleurait comme il n'avait pas pleuré depuis son enfance.

La nuit était très avancée lorsque le cortège arriva dans la ville. Les premières lueurs du jour se devinaient. Le froid de l'aube ruisselait comme une eau grise dans les ruelles en pente.

Le manteau de Jésus avait été déchiré. Son corps maigre n'était plus couvert que de quelques guenilles ensanglantées. Tout au long du chemin, des gens lui avaient jeté des pierres, d'autres l'avaient fouetté. Les soldats de l'escorte auraient dû le protéger, mais ils étaient les premiers à rire. Certains ne se gênaient pas pour le frapper lorsqu'il ralentissait. Ils prenaient un véritable plaisir à cogner.

— Si tu es fatigué, fais donc appel à ton père. Il t'enverra des anges pour t'aider à marcher.

À plusieurs reprises, la colombe était venue tourner au-dessus d'eux, frôlant de son aile la tête de Jésus. Là encore des soldats avaient tenté de l'abattre, mais l'oiseau semblait invulnérable.

À mesure que l'on montait vers le palais où demeurait Ponce Pilate, gouverneur romain, la foule devenait plus dense. On répétait que le Galiléen était condamné et que ce n'était plus que pour une confirmation de la sentence qu'il était conduit au palais. Les gens hurlaient. Tout le monde se réjouissait en prévision des supplices. Car il s'agissait d'un spectacle aussi populaire que le théâtre, les grandes parades militaires et les jeux du cirque.

Et Jésus avançait sous les huées et les rires, les mains liées dans le dos, trébuchant sur les pavés inégaux. Mais ceux qui pouvaient voir ses yeux étaient tous frappés par la lumière étrange de son regard.

56

Dans la foule se trouvait Judas qui avait empoché ses trente pièces d'argent. Aux gens qui se bousculaient pour voir passer son maître, il demanda :

— Que vont-ils lui faire ?

Un vieillard, qui avait renoncé à se frayer passage pour être au premier rang, répondit :

— Supplice de la croix. C'est le plus avilissant, sans doute le plus pénible. Celui qu'on réserve aux pires criminels.

— Mais cet homme n'a rien d'un criminel !

Le vieillard eut une sorte de haut-le-corps. Foudroyant Judas du regard, il lança :

— Comment ? Tu ne sais donc pas qu'il a commis le pire des crimes : se faire passer pour le fils de Dieu !

Judas s'éloigna de la foule. Il avait à peine pu deviner le passage de son maître. L'idée même de sa faute lui était intolérable. Quand il l'avait commise, il n'avait pas un instant mesuré les conséquences qu'elle pourrait avoir. Sans doute Jésus serait-il arrêté, peut-être fouetté, mais il guérirait ses propres blessures comme il avait si souvent guéri celles des autres. Pour lui, s'évader serait un jeu qui ajouterait à sa gloire. Comment Judas aurait-il imaginé que ce peuple qui l'avait tant adulé pourrait se tourner contre lui pour être du côté du pouvoir ?

À présent, il imaginait la douleur que pouvait causer la mise en croix. Il lui semblait sentir les clous traverser ses poignets et ses pieds. On lui avait dit que l'agonie des crucifiés pouvait durer des jours et des nuits. Il allait sans savoir où, s'éloignant seulement d'instinct des rues les plus vivantes. Il marchait comme pour fuir les visions qui le tenaillaient, mais elles demeuraient devant lui, inscrites sur tout ce qu'il regardait. Il entendait tout ce qu'on lui avait dit du crucifiement, peine qui venait des Égyptiens et des Grecs, que les Romains avaient à leur tour adoptée pour la réserver surtout aux esclaves et aux criminels à qui on voulait faire sentir qu'ils n'étaient que des bêtes.

Il savait que les Juifs le devaient au roi Hérode, celui qui avait tant souhaité la mort de Jésus nouveau-né. Ainsi ce brutal poursuivait-il l'innocent par-delà la mort.

Des détails le hantaient. Ils lui causaient une douleur atroce. Est-ce que, pour Jésus le charpentier, on allait adopter la croix en T, en X, en

Y ? Est-ce qu'on le clouerait au bois avant de dresser la croix ?

Jésus leur avait souvent parlé de la mort. Il ne reconnaissait à personne le droit de prendre la vie d'autrui. Charpentier, il avait, comme Joseph et comme tous les compagnons dignes de leur métier, toujours refusé de travailler aux bois qu'on osait appeler de justice. Et il allait, par sa faute à lui, Judas, mourir cloué aux poutres !

Parmi les apôtres, plusieurs avaient assisté à l'agonie de crucifiés. Tous s'accordaient à dire que ces malheureux n'étaient pas morts d'avoir perdu du sang par les plaies de leurs mains et de leurs pieds, pas non plus morts d'épuisement, mais parce qu'ils ne parvenaient plus à respirer. Ils avaient cessé de vivre parce que leurs poumons ne pouvaient plus appeler l'air ni le rejeter.

Et c'était long. Très long. Une asphyxie bien plus atroce que celle du pendu.

Soudain, la vision de la croix disparut et Judas se trouva face à une corde. Une corde dans un arbre. Ce fut rapide comme l'éclair, mais gravé au burin sur sa rétine. Il ferma les yeux. L'image demeura, rouge sur fond de nuit.

Il rouvrit les yeux. Deux femmes qui le croisaient à ce moment-là furent effrayées par son regard et s'enfuirent à toutes jambes. L'une prétendit par la suite qu'elles avaient croisé un fou, l'autre assura qu'il s'agissait d'un mort vivant.

Judas qui connaissait bien les fermes où ses amis et lui s'étaient souvent cachés, sortit de la ville et se dirigea vers la plus proche. Son intention était de s'y réfugier en attendant le moment propice à la fuite. Car il devait absolument fuir ce qui le poursuivait.

Le jour grandissait sur la campagne. Judas avait quitté le chemin pour couper entre les oliviers. Ce n'était plus une plantation de vieux arbres qu'il traversait, mais un défilé de monstres qui tendaient des bras noueux et déformés, armés de griffes prêtes à le déchirer.

La ferme était silencieuse. Pas de fumée. Les paysans aussi voulaient assister au spectacle.

Judas se dirigea tout de suite vers la grange où étaient remisés les chars. Il prit une corde à foin et sortit sans se retourner. Les monstres lui tendaient toujours leurs bras. Il grimpa dans le plus proche, attacha sa corde à une branche solide, fit un nœud coulant qu'il passa à son cou. Il demeura un moment à chercher une prière en sa mémoire, mais ne trouva qu'un mot qu'il lança vers le ciel d'une voix éraillée :

— Pardon !

Et il se laissa tomber. La corde se tendit. Judas remua un moment du corps et des membres. Il ouvrit la bouche et tira la langue. Il était d'une laideur à faire trembler une armée. Voulant lutter contre la mort, il eut un geste pour s'accrocher à une branche, mais sa main ne put saisir que sa ceinture qu'elle souleva. Sa bourse s'ouvrit et, une à une, tombèrent trente pièces d'argent.

Quand la dernière roula sur le sol, Judas avait cessé de respirer. Déjà avertis de sa présence, quatre corbeaux freux énormes se posèrent sur l'arbre qu'il avait choisi pour gibet.

57

Tandis que Judas rendait son dernier soupir, Jésus se trouvait dans la cour du palais du gouverneur Ponce Pilate. Les soldats qui le gardaient n'étaient pas ceux qui l'avaient conduit jusque-là. C'étaient des légionnaires romains d'une cohorte d'élite, extrêmement disciplinés. Pilate leur avait fait donner l'ordre de ne laisser entrer personne d'étranger au service et d'interdire qu'on maltraite le prisonnier. Ils devaient se tenir immobiles à côté de lui, c'est tout.

À peine Jésus était-il entre eux que la colombe qui l'avait suivi commença par se percher sur le toit du palais. Elle roucoula un moment puis reprit son vol pour venir se poser sur l'épaule du prisonnier. Les soldats figés dans leur raideur de statue n'osaient même pas tourner la tête pour la regarder. L'oiseau passa plusieurs fois son bec contre la joue de Jésus et caressa doucement sa barbe. Il lui parla à voix basse, lui disant quelle chance elle avait de pouvoir monter vers les cieux et combien il espérait y monter à son tour.

Elle écouta puis, quand il se tut, elle s'envola et piqua plusieurs fois vers les soldats en poussant des cris aigus. Le sergent qui commandait le détachement se trouva plongé dans un grand embarras. Il tenta de la chasser du geste, mais il se rendit compte combien il était ridicule. Jésus parla à la colombe qui s'envola.

Un officier qui avait vu de loin le sergent gesticuler arriva bon train.

— Vous êtes fou ! On nous a ordonné de ne pas bouger !

— Mais... L'oiseau...

— Quel oiseau ? Vous vous moquez de moi. Vous serez puni !

Le sergent se figea de nouveau et ses hommes eurent du mal à contenir leur envie de rire.

58

Le soleil était déjà haut lorsque Pilate fit comparaître devant lui Jésus à qui il avait fait enlever ses chaînes. Le gouverneur était assis sur un siège placé assez haut pour qu'il domine l'accusé qui devait se tenir debout. Pilate était assisté de son secrétaire et de trois magistrats romains. Il y eut un long silence, car le gouverneur se demandait quelle contenance adopter devant cet étrange accusé que les Juifs lui livraient. Il ne savait pas grand-chose de lui. À le voir ainsi se balancer d'un pied sur l'autre en frottant ses poignets meurtris par les chaînes, il lui semblait qu'il se trouvait face à un pauvre bougre de voleur de fruits bien inoffensif. Son visage portait des marques de coups, ce qui restait de son vêtement était taché de sang, souillé de terre et luisant de crachats.

Peu habitué aux interrogatoires, Pilate songeait que les Juifs, qu'il n'aimait guère, se vengeaient en lui expédiant un cadeau empoisonné.

Voulant attaquer très fort pour en finir au plus vite, il lança :

— Alors, tu es vraiment le roi des Juifs ?

— C'est toi qui le dis.

— On t'accuse de sédition, d'incitation à la révolte.

Jésus ne répondit pas.

— Tu recommandes au peuple de refuser de payer les taxes au gouvernement de Rome.

Silence exaspérant de l'accusé. Pilate hurla :

— Alors, réponds. Que peux-tu dire pour te défendre ?

— Rien.

— Tu plaides coupable ?

— Je ne plaide rien du tout.

— Mais enfin, on t'accuse de te présenter au peuple comme envoyé de Dieu. Es-tu fou ?

— Ce n'est pas au fou de dire s'il est fou ou sensé.

— Es-tu envoyé de Dieu ?

— Je suis envoyé par mon Père et je sais que je regagnerai bientôt son Royaume où il me fera asseoir à sa droite.

— Quel Royaume ?

— Celui où sont les justes.

De plus en plus embarrassé, Pilate se tourna vers les juges :

— Je ne vois pas grand-chose à retenir contre ce malheureux.

Le plus gros des magistrats se leva et vint lui glisser à l'oreille :

— C'est un Galiléen. Hérode qui est tétrarque de la Galilée se trouve présentement à Jérusalem, c'est à lui qu'il revient de le juger.

Pilate poussa un énorme soupir de soulagement et ordonna à ses soldats de conduire très vite le prisonnier chez Hérode.

Hérode avait souvent entendu parler du Galiléen, parfois en bien, parfois en mal. Il était curieux de nature et éprouvait le sentiment que personne, à vrai dire, ne lui avait jamais brossé de cet homme un portrait précis. Rien en tout cas dont il pût se contenter. Heureux de pouvoir l'interroger directement et satisfaire sa curiosité, il donna l'ordre qu'on l'introduisît dans la pièce où il se trouvait.

— Alors, lança-t-il tout de suite, il paraît que tu es un très beau parleur ?

Jésus demeura muet.

— Eh bien, puisque tu aimes tant prêcher, ne te gêne pas. J'aimerais t'entendre. Parle-moi de ta religion, de tes croyances, de ton Dieu, de tes espérances.

Jésus ne desserrait pas les lèvres. À court de questions et à bout de patience, Hérode explosa :

— Tu n'oses pas parler. Tu n'es bon qu'à envelopper des naïfs dans tes boniments de camelot ! Je n'ai pas une minute de plus à perdre avec toi. Ah, tu te dis roi des Juifs ? Eh bien, on va te vêtir en roi.

Il éclata d'un gros rire, appela les gardes et

leur donna l'ordre de jeter sur les épaules de Jésus un manteau rouge puis de le reconduire chez Pilate. Il ajouta toujours en riant :

— Et tâchez de lui trouver une couronne, qu'il ait vraiment l'air d'un roi !

Quand les soldats sortirent, encadrant l'accusé, la foule était si dense qu'ils durent brandir leurs armes pour s'ouvrir un chemin. Les injures continuaient de tomber comme grêle en mars.

Heureusement, le chemin était assez court et ils furent vite au palais.

Pilate fut très mécontent de le voir revenir. Il refusa de l'interroger à nouveau.

— Je n'ai rien trouvé de grave à lui reprocher. Je vais ordonner qu'on le relâche.

— Ne fais pas cela, répliqua le grand prêtre. Entends la foule qui exige un condamné. Elle veut une exécution.

Un autre prêtre intervint :

— Tu sais bien que la coutume veut qu'à la Pâque, un condamné à mort soit gracié. Tu as en prison Barabbas, condamné pour un meurtre commis au cours d'une révolte. Fais-le sortir. Présente les deux hommes au peuple et que le peuple se prononce à ta place. C'est inscrit dans la loi, toi, tu n'es là que pour appliquer la loi.

Pilate était de plus en plus perplexe. Rendre la justice n'était pas son métier et il détestait se charger la conscience. Comme il méditait en regardant Jésus toujours debout et muet devant lui, un serviteur de sa maison entra sur la pointe des pieds, alla parler à l'oreille d'un scribe. Le scribe se leva et vint à son tour parler à l'oreille de Pilate.

— Seigneur, ton épouse te fait dire ceci :« Ne te rends pas malade pour les affaires de ce juste, car au cours de cette nuit, j'ai beaucoup souffert en songe à cause de lui. »

Pendant ce temps, devant le palais, les grands prêtres persuadaient la foule de réclamer la libération de Barabbas et de faire crucifier Jésus :

— Le monde a besoin d'être mené par des gens sérieux. Pas par des pitres ! Depuis des siècles vous croyez en un Dieu qui ne vous a jamais trompés. Cet homme qui est fou ou malhonnête voudrait vous en imposer un autre. Vous êtes des gens sensés et raisonnables, heureusement ! Ce n'est pas vous qui vous laisseriez embobiner par ses tours de magie et ses discours sans queue ni tête. Il serait capable de réclamer que les soldats déposent leurs armes pour que l'ennemi nous envahisse et que le pays soit livré à l'anarchie.

Quelques personnes pensaient que le pays était déjà envahi et que ce qu'on appelait anarchie était la résistance du peuple aux Romains mais, se sentant isolés, ils n'osaient rien dire.

Et les docteurs, les sages, les savants, les généraux rentrèrent pour annoncer à Pilate que le peuple attendait.

59

Barabbas était un rustre d'une trentaine d'années, noir de poil et l'œil étrange. Sans doute son curieux regard et ce rictus qui lui faisait montrer les dents même quand il ne souriait pas étaient-ils dus à une balafre qui partait de sa pommette gauche pour aller se perdre dans sa barbe épaisse au-dessous de son oreille. Ivrogne, un peu voleur, cet homme venu dont on ne savait quel village perdu n'était peut-être pas un très mauvais bougre. Mais il avait le sang chaud et il fallait bien peu de chose pour qu'il sorte son couteau.

Quand on le tira du cachot humide et nauséabond où il redoutait de crever comme une taupe, il fut tout étonné que ce ne soit pas à coups de cravache. Quand il arriva sur l'escalier du palais où se trouvaient déjà Jésus, Pilate et les soldats, quand il vit la foule immense qui couvrait la place, il se mit à trembler en pensant qu'on allait l'exécuter. Sortant de la nuit, ébloui par la vive lumière, tout lui était hostile.

Dès qu'il fut debout à côté de Jésus qui le dominait d'une bonne tête, Pilate le regarda très étonné. Ce n'était pas lui qui l'avait condamné. Il l'imaginait énorme et monstrueux, il le découvrait petit, maigre et presque pitoyable avec ce rictus stupide et ce regard fuyant.

Voulant en finir au plus vite, le gouverneur leva la main pour demander le silence, et le silence se fit.

— Qui voulez-vous que je libère, Barabbas ou Jésus ?

De la foule monta comme une tempête :

— Barabbas ! Barabbas ! Libérez Barabbas !

— Que voulez-vous qu'on fasse du Galiléen ?

— Crucifiez-le ! Crucifiez ! Crucifiez !

Pilate avait envie d'en finir. Il pensait au message de sa femme et aux propos de ses conseillers. Son âme était loin d'être noire mais il manquait de volonté. Dans un dernier soubresaut, il lança pourtant :

— De quoi est-il coupable ?

Il était évident que la grande majorité des gens assemblés se moquait de la culpabilité. Qu'on crucifie Barabbas leur semblait d'une grande banalité. Ce pauvre gars mourrait sans doute comme la plupart des condamnés. Mais celui qui se disait fils de Dieu, c'était autre chose !

Son exécution promettait d'être un divertissement peu ordinaire. C'était un spectacle dont nul ne voulait être privé. Peut-être ce bonimenteur

201

avait-il encore quelques tours de magie dans son sac.

Et la foule continuait de hurler :

— Libérez Barabbas ! Libérez Barabbas !

Voyant que l'excitation grandissait, Pilate eut un haussement d'épaules. Il soupira profondément et demanda qu'on lui apporte de l'eau. Quand on lui présenta une bassine, il se lava les mains et déclara :

— Vous répondrez du sang de ce juste, moi, je me sens innocent.

Des cris de joie montèrent. Parmi eux, des voix disaient :

— Que son sang, s'il n'est pas coupable, retombe sur nous et nos enfants.

Et d'autres scandaient :

— Il est coupable... Il est coupable !

Et l'écho des façades n'en finissait plus de lancer au ciel :

— Pable... Pable... Pable...

Pilate rentra en baissant la tête pour éviter le regard de Jésus.

60

Jésus semblait très abattu mais pas surpris qu'on souhaitât sa mort puisqu'il savait depuis longtemps qu'il en serait ainsi. Simplement, il cherchait du regard dans la foule un visage ami. Il pensait à sa mère et à ceux qui l'aimaient. Il n'espérait pas les voir ici. Toutefois, il lui semblait que bon nombre de ceux qui réclamaient son supplice à grands cris étaient venus l'entendre prêcher et lui avaient témoigné de la sympathie. Il connaissait bien le fond du cœur de l'homme, il savait qu'on y trouve un limon assez noir, et pourtant, il s'étonnait encore de pareilles métamorphoses.

Sa seule consolation en cet instant fut de voir que la colombe qui lui témoignait tant d'amour était encore là. Le tumulte l'empêchait d'approcher, mais elle tournoyait dans le ciel. Seul Jésus la voyait car les autres n'étaient occupés que de lui, avides des souffrances qui l'attendaient.

Pour leur donner tout de suite un spectacle qui leur soit agréable, les soldats arrachèrent ses vêtements et le fouettèrent de verges sur le dos, sur les reins, sur la poitrine et les épaules. Sa peau blanche se zébrait de rouge. Le sang se mit à couler des plaies qui s'ouvraient. Le malheureux à qui Pilate avait fait délier les mains tentait en vain de protéger les parties les plus sensibles de son corps, ce qui l'amenait à des contorsions dont la foule se réjouissait.

Ceux qui n'étaient pas partis à la taverne avec Barabbas pour fêter sa libération ne regrettaient pas d'être restés. On peut boire à tout moment, mais on ne saurait trouver souvent spectacle aussi amusant que cette séance de flagellation.

61

Lorsque le corps de Jésus ne fut plus qu'une plaie, les soldats ouvrirent la foule en transe et le firent avancer. Ils se dirigèrent pour un premier arrêt vers un jardin protégé par une haie épaisse de poncirus. Cet arbuste porte des épines longues comme un doigt et extrêmement pointues. Ils en coupèrent quelques branches qu'ils arrangèrent en forme de couronne. Ils juraient en se piquant les mains et les autres riaient. La foule trépignait d'impatience.

Dans le manteau rouge qu'on lui avait arraché, ils déchirèrent une longue bande de tissu qu'ils jetèrent sur ses épaules. Puis posant la couronne d'épines sur sa tête, ils se mirent à faire devant lui des grimaces grotesques pour singer une cérémonie de couronnement d'un prince.

— Salut, roi des Juifs !

— Ton peuple t'adore. Écoute-le crier sa joie !

Le sang ruisselait sur le front de Jésus. Mêlé à la sueur et aux larmes, il coulait dans sa barbe.

Un soldat voulait lui faire tenir un balai en

guise de sceptre, mais le malheureux refusa obstinément. On le frappa. Il refusa toujours et un officier dut intervenir pour que ses hommes ne le tuent pas sur place. Car il était important de respecter la loi.

Reformant le cortège, les soldats le poussèrent dans une ruelle qui conduisait à une remise où l'on tenait toujours prêts les instruments des supplices. Là, ils choisirent la croix la plus longue, la plus solide, la plus lourde et ils l'obligèrent à la prendre sur son épaule.

Comme ils regagnaient la rue, un homme cria :

— Alors, charpentier, on fait provision de bois ! J'espère que t'as pas oublié les clous !

Un rire énorme monta de la foule et fit trembler les maisons. Nul ne put entendre Jésus qui murmurait :

— Le bon compagnon ne se sert jamais de clous.

62

À cause de l'étroitesse des rues et des ruelles, tant qu'il fut dans la ville, le cortège ne parvint pas à s'organiser vraiment.

Dès son adolescence, Jésus avait été habitué à porter de lourdes charges. Même s'il était resté mince, il était fort et adroit. Des poutres plus pesantes que sa croix, il en avait souvent pris sur son épaule pour grimper à l'échelle et rejoindre Joseph au sommet d'une charpente. Cette charge qu'on venait de lui donner lui avait tout de suite rappelé son père nourricier, l'atelier et les chantiers. Parce qu'elle était neuve et débitée dans du cèdre encore vert, elle sentait fort cette résine qui est le miel du bois. Mais Jésus venait de subir un tel traitement que le plus beau de sa vigueur l'avait quitté. Il allait en ahanant. Ses mains accrochées au bois tremblaient. À chaque pas il éprouvait l'impression que ses jambes allaient se dérober sous lui. Il avait cent ans. Il était affligé de tous les maux de la terre. Rien ne pouvait l'aider et il savait qu'il n'était qu'au début d'un chemin long et pénible. Chaque pavé tendait un piège à ses pieds nus ensanglantés. La couronne d'épines glissait sur son front et menaçait de l'aveugler.

À l'angle d'une rue, voulant éviter une femme qui lui lançait au visage une poignée de sable, il trébucha, tenta de se retenir mais tomba une première fois, provoquant le rire et une pluie de railleries.

63

Jésus s'étant relevé avec peine et de nouveau chargé de sa croix se remit en marche. La sueur mêlée de sang qui coulait de son front brouillait sa vue. Et c'est comme dans un nuage irisé qu'il vit apparaître, parmi d'autres femmes, Marie sa mère. Il crut tout d'abord qu'il se trompait, qu'il était victime de sa fatigue, mais leurs regards s'étant étreints, il sut de manière certaine qu'elle était là.

Il se redressa un peu. Soudain, il se sentait plus fort. Moins désespéré. Non point parce qu'il escomptait qu'elle soulèverait la foule et le délivrerait, mais de la sentir là, si proche de lui avec tout son amour.

Leur échange silencieux fut d'une telle intensité qu'il sut ce qu'elle pensait et qu'elle sentit parfaitement que son fils la comprenait.

Elle était là, muette mais non point impuissante puisqu'elle lui apportait son aide dans la douleur qu'il endurait.

Car Marie ne pouvait rien d'autre pour lui. Elle

savait que la parole du Père devait s'accomplir pour que soient lavés les péchés du monde. Elle savait qu'elle ne pouvait l'être qu'au prix qu'était en train de payer son enfant.

Elle revit la crèche de Bethléem. La fuite en Égypte pour échapper au massacre. Elle pensa à tous les enfants éventrés dans la neige et se dit que son fils, après trente-trois ans, allait les rejoindre.

Regardant la croix qu'il portait, son œil exercé observa que l'assemblage en était grossier. Ce n'était pas un vrai charpentier qui l'avait débitée et montée. Pensant à Joseph, elle fut un peu soulagée et murmura :

— Ce sont sans doute des soldats qui ont bâti sa croix.

64

Au sortir de la ville, le cortège s'organisa. En tête marchaient des légionnaires romains qui, souvent à coups de plat d'épée, obligeaient les curieux à leur livrer passage. Derrière venait Jésus, qui titubait sous sa charge. Suivaient quelques soldats puis deux autres condamnés qui peinaient moins à porter leur fardeau, car ils avaient moins souffert.

Le Golgotha s'élevait à la sortie de la ville. C'était un mont très aride. Un sol de gravier et de roche où ne poussaient que de maigres buissons d'épines, des ronciers chétifs et de minuscules potentilles à peine visibles entre les cailloux.

Avant de commencer la montée, Jésus était donc déjà tombé une première fois. Les gens avaient beaucoup ri des efforts qu'il devait déployer pour se relever avec son fardeau. La deuxième fois, il eut du mal à se relever et le fit sans sa croix qui demeura au sol.

La foule hurlait :

— Faut qu'il la porte !

— Fainéant !

Un soldat s'approchait pour le frapper à coups de pied lorsqu'un homme, fendant les rangs des curieux, s'avança. C'était un gaillard très large d'épaules, au corps et au visage cuivrés par le soleil. D'une voix qui ne tremblait pas, il lança aux légionnaires :

— Laissez-moi lui venir en aide.

Un officier s'avança :

— Qui es-tu ?

— Je me nomme Simon.

— D'où es-tu ?

— Je viens de Cyrène.

— Est-ce que tu ferais partie de sa bande ?

— De quelle bande parles-tu ? Je suis laboureur. Ma seule bande, c'est mon mulet.

Quelques voix s'élevèrent :

— Il est de la bande. Faut le crucifier aussi.

Mais d'autres plus nombreuses dirent que Simon était bien un paysan.

— Montre tes mains, fit l'officier.

Simon tendit d'énormes pattes toutes couturées de cicatrices, épaisses et raides de callosités dures comme du bois de chêne. L'officier sourit :

— Sûr qu'à voir ça, on sait que tu n'es pas prédicateur. Allons, aide-le, sinon nous n'arriverons jamais là-haut avant la nuit.

Simon se baissa et souleva la charge avec tant d'aisance que la foule ne put retenir un murmure d'admiration. Il la prit sur son épaule et allait se mettre en marche quand l'officier l'arrêta :

— La loi veut que le condamné porte sa croix. Je veux bien qu'il soit aidé, mais il faut qu'il porte sa part.

Jésus dut empoigner l'extrémité du montant. Ce n'était que peu de chose et, à les voir avancer tous les deux, on avait l'impression que Simon portait la croix et, en même temps, tirait Jésus pour l'aider à gravir la côte rocailleuse.

Durant cette halte, une femme charitable s'était avancée pour essuyer le visage du condamné. Elle l'avait fait avec un foulard blanc où se trouvait à présent imprimée la face du Christ. Elle n'osait pas le plier. Elle le tenait serré contre sa poitrine de crainte qu'on ne le lui enlève.

Renonçant à suivre plus loin le cortège, elle rebroussa chemin, emprunta des ruelles désertes et rentra chez elle où elle étendit le tissu devant lequel elle s'agenouilla pour se mettre à prier.

65

Le chemin était dur mais ne décourageait personne. La foule avait une telle soif d'horreur, de souffrance et de sang que même les faibles, les malades, les éclopés, les enfants, les femmes grosses et les vieillards parvenaient à se hisser. On s'aidait les uns les autres. On se bousculait un peu aussi pour être au premier rang. Il y eut même de véritables rixes où l'on vit briller la lame des couteaux.

Et si l'on tenait tant à être à l'avant, ce n'était pas uniquement pour voir, c'était aussi pour participer. En dépit de la présence des soldats, certains parvenaient à s'approcher assez pour frapper Jésus et lui cracher au visage.

Dans un passage étroit où s'amorçait un tournant, le pied gauche de Jésus accrocha une ronce tendue en travers du sentier. Il ne put éviter la chute. Voulant se retenir à la croix, il fit chanceler Simon. Mais le laboureur était solide et on avait l'impression que les rires ne l'atteignaient pas. Sa force énorme et calme en imposait. Non seulement il soulageait le Christ, mais il le protégeait un peu.

Il l'aida à se relever. Et le cortège repartit, lentement à cause de la montée plus raide et de la fatigue qui ajoutait son fardeau au poids de la croix.

66

L'âme charitable qui avait essuyé le visage du Christ n'était pas la seule que ce spectacle torturait. Trois autres femmes profitèrent d'une halte pour s'approcher du condamné en pleurant. Jésus se tourna vers elles et leur donna sa bénédiction.

— Femmes de grand cœur, gardez vos larmes. Et dites à vos enfants qu'ils disent à leurs enfants de ne point perdre courage. Car le monde est menacé des pires atrocités. Il viendra un temps où les guerres ravageront la terre. Où le feu allumé par le mauvais génie des humains brûlera tout. Heureuses alors les femmes sans enfants car elles ne les verront ni souffrir ni périr par la volonté de leurs semblables.

Bien que tout le poids de la croix reposât sur l'épaule de Simon, Jésus épuisé par les coups, à moitié vidé de son sang, tomba encore deux fois. Et chaque fois des femmes l'aidèrent à se relever. Les soldats pressés d'en finir fermaient les yeux.

Quand ils eurent atteint le sommet de ce mont

qui tirait son nom de sa ressemblance avec un crâ ɔ chauve, les soldats, faisant office de bourreaux, commencèrent par s'occuper des deux autres condamnés. C'était ajouter à la torture de Jésus qui dut assister à leur mise en croix.

On leur offrit une grande coupe d'un breuvage très fort en alcool. Ils burent avec avidité. Ils savaient sans doute — tout le monde le savait — que c'était là un geste miséricordieux destiné à les abasourdir pour que leur souffrance soit moins grande.

Le premier qu'on allongea sur le bois devait être peu habitué à l'alcool, car il parut assez facile à manipuler. Ce fut seulement quand un des gardes armé d'un énorme marteau enfonça un gros clou entre les os de son poignet gauche qu'il commença à réagir. Il se tordit et poussa un hurlement rauque qui s'acheva dans des aigus déchirants. Mais il avait beau se défendre, les soldats étaient cinq, et ils n'étaient pas fatigués. L'homme continuait de hurler et de les injurier. Comme un sergent approchait sa main pour lui appliquer un torchon sur la bouche, le condamné eut un sursaut et tenta de le mordre.

Une fois les poignets et les pieds cloués, on leva la croix qu'on planta dans un trou tout prêt. En retrait, d'autres croix étaient dressées dont certaines portaient des corps où les rapaces semblaient trouver encore à se repaître.

Les soldats s'approchèrent alors du deuxième condamné. C'était un grand blond aux yeux clairs qui parlait avec un curieux accent. D'une voix profonde, presque tranquille, il leur dit :

— Ne me touchez pas !

Le chef des bourreaux se mit à rire :

— Si tu veux pas qu'on te bouscule, couche-toi tout seul sur la croix !

— Ne me touchez pas, répéta l'homme blond.

— Allez, ordonna le chef, ne perdons pas de temps.

Comme ils approchaient tous les cinq, le condamné fut soudain une lanière de fouet. Il se détendit avec une rapidité telle que deux des hommes se retrouvèrent par terre après un vol plané incroyable. L'un à plat ventre, l'autre sur le dos. Le premier avait reçu un terrible coup de pied, l'autre un coup de poing.

Tandis qu'ils se relevaient, le chef se retourna pour crier :

— Du renfort !

Cinq autres soldats arrivèrent. Les dix se jetèrent sur le malheureux dont on pensait qu'il allait succomber sous la masse, mais non, il était comme un arbre sous un vol de moineaux. Il s'ébrouait, poussait des han ! de bûcheron, et il réussit encore à expédier au sol trois hommes avant qu'on ne l'assomme. Un coup terrible derrière le crâne. Un coup de masse que la foule haletante entendit sonner comme le choc de deux bûches.

Inerte, on le coucha sur la croix où, très vite, on le lia avec des cordes. C'est seulement lorsqu'il fut attaché des membres et du corps que le bourreau prit son marteau et planta le premier clou dans le poignet gauche. La douleur tira l'homme de son évanouissement. Il poussa un rugissement terrible. Son corps tout en tendons et en muscles se banda, mais les liens étaient solides. Ils entraient dans les chairs. Les veines saillaient prêtes à éclater.

— Vous crèverez tous de la peste, hurlait l'homme. La peau vous tombera des os... Tous fils de putes !

Jésus ferma les yeux. Il priait pour cet homme et pour l'autre qui, du haut de sa croix, avait assisté à la bataille.

Lorsqu'ils eurent terminé et que la croix fut dressée et fichée en terre, les soldats qui transpiraient à grosses gouttes s'avancèrent vers Jésus.

Leur chef lui dit :

— Tu vois qu'il est inutile de faire le malin. Les plus forts y passent comme les autres.

— Celui-là ne pèse pas lourd, dit un soldat, une gifle, et il s'écroule.

Ils se saisirent de lui pour le dépouiller des vêtements en lambeaux qui le couvraient encore.

Comme le tissu avait collé aux plaies dont le sang séché formait des croûtes douloureuses, chaque marque, chaque griffure, chaque coupure se remit à saigner. Un garde changea de place la couronne d'épines et là aussi le sang se remit à ruisseler.

Jésus souffrait en silence, des larmes coulaient mais aucun sanglot ne soulevait sa poitrine. Pas un gémissement ne franchissait ses lèvres.

À l'intérieur de lui, une source était née qui l'inondait de mots, d'images, de souvenirs, de moments de son enfance et de visages lointains. Tout ce remuement intérieur ajoutait à sa détresse. Il se disait : « Ô vous tous, mes vivants et mes morts bien-aimés, c'est à vous que j'offre ma douleur. Ô mon Père, donnez-moi la force de rester droit et de pardonner à mes bourreaux. Aidez-moi à accorder aussi mon pardon à ceux qui m'ont trahi. »

Sa douleur était grande, mais plus encore que de ses plaies, il souffrait de se trouver entièrement nu devant cette foule qui continuait de rire de lui. Des cris de haine, des insultes, de lourdes plaisanteries montaient qu'il n'entendait pas vraiment.

Dès qu'il fut nu, les soldats se saisirent de lui pour le coucher sur la croix dont le bois lui sembla froid comme un marbre. Un long frisson parcourut son corps épuisé.

Parmi les curieux, plusieurs qui l'avaient insulté tout au long du chemin durent s'éloigner pour cacher des larmes dont ils avaient honte.

67

Allongé sur le bois dont les arêtes vives meurtrissaient les plaies causées par la flagellation, Jésus ouvrait grands ses yeux qui s'emplissaient de ciel. La lumière de midi éclatait. Un peu ébloui, il cherchait dans la profondeur infinie le visage de son Père, mais ce qu'il voyait une fois de plus défiler en transparence, c'était surtout ce qui avait marqué son enfance. L'atelier de Joseph, la maison où œuvrait Marie, la source où on allait puiser l'eau, les voisins. Des visages se dessinaient, souvent souriants. À peine étaient-ils ébauchés que le grand soleil les effaçait.

Jésus sentit qu'on tirait sur son bras gauche pour l'allonger contre la poutre transversale. Une poigne de fer maintenait sa main tandis qu'un homme dont il voyait le visage penché plantait à grands coups de marteau un clou entre les os de son poignet. Au moment où la pointe sectionna le nerf médian, il vit son pouce se replier au creux de sa main dans un mouvement qu'il ne commandait pas. La douleur très vive lui arracha un gémissement, mais il serra les lèvres pour retenir un cri. Il ne voulait pas donner le spectacle de sa souffrance. Il eût aimé rester souriant.

Les hommes se portèrent du côté droit pour clouer l'autre poignet. À ce moment-là, Jésus revit très nettement sa main d'enfant le jour où le bon Joseph l'avait prise dans la sienne pour la poser sur un rabot et lui apprendre à tenir ferme un outil.

Les clous étaient une chose dont les bons charpentiers évitaient de se servir. Et Joseph était un très bon charpentier. Il ne clouait pas, il chevillait. Et il refusait de fabriquer des croix de supplice. C'était une chose qui poursuivait Jésus depuis qu'il avait appris sa condamnation.

Le bon compagnon charpentier refuse de fabriquer et de monter tout engin de torture et de mort.

Ceux qui le clouaient là n'étaient pas de bons compagnons. Il s'accrochait à ces mots, à ces phrases pour ne pas hurler sous les coups qui perçaient sa chair et faisaient vibrer la croix.

Le ciel se mit à tourner et à planter dans ses yeux des éclairs blancs douloureux comme des clous.

Sans desserrer les dents, il souffla :

— Père, Père, donnez-moi la force de mourir bien.

La couronne d'épines étant tombée de son front, un des aides la ramassa et la remit en place mais elle tomba de nouveau. Le chef lui lança :

— Laisse, on la remettra après !

Les hommes passèrent aux pieds qu'ils empoignèrent pour plaquer le gauche au bois et appuyer le droit par-dessus. Le bourreau prit un clou très long et le planta de manière qu'il traverse les deux pieds avant de se ficher dans une sorte de petit socle incliné déjà fixé au montant.

La foule était moins bruyante. Bien des gens réclamaient le silence, sans doute espéraient-ils que le condamné se plaindrait. Mais il sut retenir ses gémissements. Il refoulait les plaintes en lui, fermait les paupières pour les rouvrir très vite et continuer de fouiller les profondeurs du ciel.

Lorsque les soldats dressèrent la croix, une rumeur courut sur la foule. Le Christ put à peine l'entendre tant la déchirure des plaies de ses mains et de ses pieds était vive. Le monde bascula, la foule tangua, les autres croix se déplacèrent sur fond de ciel puis de terre et de roche. Ses poumons avaient du mal à rejeter l'air qui les emplissait.

Baissant la tête, il vit les soldats occupés à caler le pied de la croix avec de la terre et des pierres.

— Père, murmura-t-il, pardonnez-leur, ils ne savent pas ce qu'ils font.

Quand la croix fut solidement en place, l'un des aides apporta une échelle. Un autre y monta qui remit la couronne d'épines sur le front de Jésus. Il y eut des rires et des cris dans la foule, mais moins nombreux :

— Tu vas mourir, roi !

Il semblait que quelque chose de mystérieux se passait. La joie du matin était comme écrasée par la lumière du milieu du jour.

L'aide descendit de son échelle puis y remonta portant un marteau, un clou et une planche de cèdre où l'on avait gravé par dérision INRI, c'est-à-dire : Jésus de Nazareth Roi des Juifs. Il la cloua et chaque coup qu'il frappait se répercutait dans les plaies et sonnait effroyablement dans le crâne de Jésus.

La foule était déjà moins dense. Jésus ne la voyait plus que comme une mer à peine houleuse qui semblait refluer et ruisseler lentement le long de cette pente qu'il avait éprouvé tant de peine à gravir.

L'échelle retirée, les soldats qui se tenaient à ses pieds se mirent à se quereller en se partageant les quelques hardes qu'ils lui avaient arrachées pour le dénuder.

Quand ils eurent terminé, ils allèrent s'asseoir à quelques pas pour le regarder souffrir.

68

La foule s'écoula et les derniers qui restèrent furent quelques ennemis irréductibles qui
tenaient à se repaître le plus longtemps possible
de ses tourments.

— Alors, fils de Dieu, montre ce que tu sais
faire !

— Si tu es si fort, arrache tes clous. Descends
de là !

— S'il est vraiment le roi d'Israël, qu'il se
libère !

— Si nous te voyons descendre, nous serons
les premiers à croire en toi !

Comme Jésus ne bronchait pas, ils riaient et
lui lançaient des insultes.

Les soldats aussi l'insultaient, mais sans grande
conviction. L'un des autres crucifiés lui lança :

— Délivre-toi et délivre-moi, si tu es fils de
Dieu. Où elle est, ta puissance ? Je t'ai déjà
entendu prêcher. Tu es un moins-que-rien...

Le deuxième qui avait donné tant de mal aux
bourreaux semblait à présent habité d'un grand

calme. D'une voix encore forte en dépit de l'essoufflement, il dit :

— Seigneur, je crois en vous. Je crois en la puissance de Dieu. Je suis puni pour avoir été violent. Je vous offre ma souffrance... Souvenez-vous de moi quand vous aurez rejoint votre Père en son Royaume.

Il se tut, à bout de souffle. Sa grande force commençait à l'abandonner.

Et ce fut Jésus qui parla. Sa voix claire étonna les soldats et les curieux encore présents :

— En vérité je te le dis, mon frère dans la douleur, ce soir même tu seras avec moi, au Royaume de mon Père, assis à sa droite parmi ceux qui ont cru en lui jusqu'à leur dernier soupir.

Le silence se fit. Il sembla que sa voix s'en allait très loin sur la campagne et jusqu'aux murs de la cité.

69

Les derniers rustres étaient encore là quand arriva Marie qu'accompagnaient Marie Madeleine et l'apôtre Jean. Les voyant à ses pieds, Jésus ne put retenir quelques larmes qui se mêlèrent au sang ruisselant de son front.

— Ma mère, dit-il, je ne veux pas que vous soyez triste, vous savez que je vais rejoindre mon Père. Vous ne serez point seule car Jean sera votre fils. Il vous aimera et vous l'aimerez. Il vous soutiendra dans votre vieillesse et vous prendra avec lui, dans sa maison.

Jésus baissa la tête et l'on crut un instant qu'il allait expirer, mais son agonie n'était point terminée. Levant de nouveau les yeux vers le ciel, il vit qu'il se couvrait de nuées très noires. La nuit opaque enveloppa le Calvaire et noya le pays. Les fidèles se signèrent en murmurant des prières.

— Mon Dieu, murmura Jésus, pourquoi m'avez-vous abandonné ?

Personne ne l'entendit. Tous étaient trop troublés par cette nuit si subite. La terre se mit à trembler. Les croix vibraient sur leur base.

Un soldat s'approcha pour voir si le condamné vivait encore. D'une voix à peine perceptible, Jésus souffla :

— J'ai soif.

Le soldat plongea une éponge dans une mixture de vinaigre, d'eau et de miel et, la piquant à sa lance, lui mouilla les lèvres.

— Tout est consommé, murmura Jésus.

Puis, plus fort, il lança :

— Père, je remets mon âme entre Vos mains.

Un long soupir fit vibrer ses lèvres. Sa tête tomba sur sa poitrine. Son regard mort semblait fouiller encore l'obscurité.

70

C'était l'heure où, à Jérusalem, le temple accueillait le plus grand nombre de fidèles. Tous les prêtres étaient là. L'office allait se terminer quand l'obscurité se fit sur la ville. À la lueur des lampes à huile, tous purent voir le rideau qui habillait le fond de l'édifice se déchirer soudain de haut en bas comme si des mains géantes l'eussent écarté. Le bruit de l'étoffe était pareil à un coup de tonnerre.

Effrayés, des fidèles s'enfuirent. Le long des rues plongées dans l'ombre, certains d'entre eux croisèrent des êtres étranges. Ils avaient bien senti la terre trembler, mais nul ne pouvait supposer que le mouvement dont elle venait d'être habitée avait soulevé les pierres des tombeaux et réveillé des saints enterrés depuis des années. Les voyant se diriger les uns au temple, les autres vers le sentier du Golgotha, les gens comprirent que des événements effroyables les menaçaient. Certains hurlèrent que la condamnation du Galiléen annonçait la fin du monde.

Pendant ce temps, les soldats encore de garde au sommet du Calvaire furent eux aussi empoignés par la peur. Ces guerriers habitués à combattre des armées entières se voyaient soudain menacés par des forces contre lesquelles ils se sentaient faibles comme des enfants. Le centurion qui les commandait eut bien du mal à les empêcher de s'enfuir. L'un d'eux tomba à genoux en joignant les mains et cria :

— Cet homme était vraiment le fils de Dieu et nous l'avons crucifié ! La colère de son père sera terrible. Elle retombera sur nous et sur nos enfants.

Le ciel s'ouvrit lentement pour laisser couler les lueurs rouges du couchant. Dans cette clarté revenue, les crucifiés apparurent de nouveau et les soldats, comme les quelques fidèles restés sur le mont, purent voir qu'une colombe blanche avait profité de l'obscurité pour venir se poser sur l'épaule de Jésus. Un soldat la chassa du fer de sa lance. L'oiseau poussa un cri et s'envola pour se mettre à tourner dans le ciel sans s'éloigner beaucoup.

Les factionnaires avaient ordre de ne pas quitter leur poste sans avoir constaté la mort des suppliciés. Voyant que les deux autres vivaient encore, ils allèrent leur rompre les os des jambes à coups de masse pour hâter leur agonie.

— Celui-là, fit le centurion, m'a tout l'air d'être mort. Pas la peine de lui briser les os, il suffit d'un coup de pointe pour s'en assurer.

L'un de ses hommes planta le fer de sa lance dans la poitrine de Jésus qui resta sans réaction. De la plaie, coulèrent du sang et de l'eau.

Le centurion donna alors à sa troupe l'ordre de se mettre en marche pour regagner la ville.

Dès qu'ils eurent disparu derrière le premier rocher surplombant le sentier, la colombe fit encore trois tours dans le ciel et revint se poser sur l'épaule de Jésus. Elle appuyait doucement sa tête contre la joue ensanglantée et, curieusement, son plumage si éclatant demeurait immaculé.

Le soir tombait vite. Derrière les montagnes, le soleil plongea. Le ciel demeura longtemps habité de lueurs verdâtres. Déjà s'allumaient les premières étoiles.

72

Il y avait, à Jérusalem, un homme assez fortuné pour s'être fait creuser dans le rocher un caveau très vaste. Joseph était originaire d'Arimathie, une petite ville située au nord-ouest de Jérusalem. Ce n'était pas à proprement parler un disciple du Christ, mais un admirateur. Un partisan de sa doctrine.

Apprenant que Jésus était mort, il eut le courage de se rendre au palais où il demanda au gouverneur l'autorisation de procéder à l'inhumation du crucifié. Pilate, qui n'était pas fâché qu'on en finisse avec ce condamné encombrant, accepta.

Aidé de ses domestiques et de quelques amis, Joseph d'Arimathie monta au Golgotha en portant ce qu'il fallait pour laver le corps, l'embaumer et l'ensevelir.

Au Calvaire, ils trouvèrent Marie en larmes qui contemplait son fils. Elle était entourée des disciples auxquels Jésus avait demandé de prendre soin d'elle.

Ils le descendirent de sa croix, arrachèrent les clous avec mille précautions, et procédèrent à la toilette. Le ciel était superbe. La lune s'était levée, et, dans sa clarté froide, la colombe ne cessait de tournoyer. Des gens s'en étonnèrent, car la colombe n'est pas un oiseau de nuit. Cependant, Joseph d'Arimathie leur dit :

— Souvenez-vous toujours que, pour tout ce qui tient à Jésus, rien ne paraît naturel. Apprenez à ne vous étonner de rien et ne soyez pas surpris s'il survient encore des événements étranges.

Ils portèrent le corps, qui n'était guère plus lourd que celui d'un enfant, jusqu'au rocher où Joseph d'Arimathie avait fait creuser son tombeau. Ils l'enroulèrent dans un linceul et le glissèrent dans le trou. Ensuite, unissant leurs forces, ils parvinrent à rouler la roche qui s'encastra très exactement dans l'entrée du sépulcre.

Dès les premières heures du lendemain, des prêtres, des pharisiens et quelques princes qui avaient tremblé pour leur prestige face à la gloire montante de Jésus s'en vinrent demander audience à Pilate. Celui-ci les reçut d'assez mauvaise humeur car il n'aimait pas à être importuné le matin.

— Seigneur, expliqua celui qu'ils avaient placé à la tête de leur délégation, nous sommes venus pour te rappeler que cet énergumène que tu as fait mettre à mort avait raconté qu'il était fils de Dieu et ressusciterait le troisième jour.

234

— Et alors, si vous vous en inquiétez, c'est que vous redoutez qu'il ait dit vrai !

— Non, seigneur. Mais si ses amis enlèvent son corps et racontent qu'il est ressuscité, nous serons tous dans un grand embarras.

Pilate eut un geste comme pour chasser une mouche :

— Qu'est-ce que vous attendez ? Allez ! Vous avez bien des gardes pour vos palais. Faites donc garder ce sépulcre. Ce n'est pas là le travail des soldats !

Ils allèrent chercher leurs gardes, les firent venir avec du mortier et des outils, leur ordonnèrent de sceller la roche qui fermait le sépulcre, et leur donnèrent l'ordre de monter une garde serrée durant trois jours et trois nuits.

Les gardes organisèrent leur surveillance. Ils allumèrent un feu pour avoir toujours une boisson chaude. Ceux qui étaient de repos pouvaient s'allonger à la chaleur, tandis que les autres, la lance à la main, veillaient sans quitter du regard la pierre fermant le sépulcre. Ils se relayaient d'heure en heure pour être bien certains que nul ne risquait d'approcher. Et c'étaient tous des hommes solides à qui on ne jette pas facilement de la poudre aux yeux.

Comme l'aube du troisième jour s'amorçait rose derrière les monts, un mendiant que nul d'entre les gardes n'avait jamais vu approcha. Il était vêtu de haillons mais, curieusement, ce qu'il portait sur lui rayonnait de lumière. Un peu comme s'il se fût trouvé déjà éclairé par le soleil qui n'était pas encore sorti de terre.

— Que veux-tu ? lança le chef des gardes.

— Tu vas le voir tout de suite.

L'homme fit un geste de la main en direction du sépulcre. L'énorme roche qui en obstruait l'entrée se descella et roula pour s'arrêter contre le tronc d'un olivier centenaire.

Le mendiant alla s'asseoir tranquillement sur cette roche. Quelques instants coulèrent, puis, dans le silence de l'aube, on entendit un curieux froissement à l'intérieur du caveau. C'était le vol velouté de la colombe qui sortit de la nuit humide et monta dans le ciel à la rencontre du soleil.

Un moment, les gardes restèrent cloués de

stupeur. Puis l'un d'eux banda son arc et tira. L'oiseau transpercé tomba aux pieds du mendiant qui lança :

— Tu as tué la colombe de la paix. Les peuples du monde passeront plus de deux mille ans à se déchirer les uns les autres. Maudit sois-tu !

Mais les gardes ne faisaient pas attention. Ils regardaient en direction du tombeau. Puis, comme un froissement d'étoffe sortait encore du rocher, ils ne voulurent pas attendre pour voir ce qui se présenterait. Ils s'enfuirent vers la ville. Pas un n'osait se retourner. Et les gens qui les virent passer comme le vent de l'orage pensèrent qu'ils avaient le diable à leurs trousses.

Ils racontèrent à leurs maîtres ce qui venait de se passer. Et les maîtres tinrent conseil avant d'ordonner :

— Quand on vous interrogera, dites que vous avez été attaqués par ses disciples durant la nuit et qu'ils ont réussi à enlever le corps. Dites-le et vous serez grassement payés.

74

Alors que le mendiant se tenait encore près du tombeau, quelques femmes arrivèrent parmi lesquelles se trouvaient la mère de Jésus et Marie de Magdala. Le mendiant leur dit :

— Voyez, les gardes se sont enfuis. Ne cherchez pas Jésus, il n'est plus au sépulcre. Il s'est levé comme il l'avait promis.

— Mais où est-il ? demanda Marie.

— Il marche vers la Galilée. Suivez-le. Je vous assure que vous le retrouverez.

Les femmes laissèrent sur place les aromates et les parfums qu'elles avaient apportés en espérant embaumer le corps si on voulait bien leur ouvrir le tombeau et, pleines d'une immense joie, elle partirent très vite sur le chemin de Galilée.

Elles couraient plus qu'elles ne marchaient. Comme Jésus, encore faible, cheminait sans hâte, elles l'eurent bientôt rejoint et se prosternèrent à ses pieds. Il leur parla doucement, avec une infinie tendresse. Il embrassa Marie et lui reprocha avec bonté d'avoir tant couru.

— Je vais me remettre en route, expliqua-t-il, car c'est en Galilée que je dois me rendre. Retournez à Jérusalem. Allez trouver mes disciples et dites-leur que je les attendrai là-bas.

Les femmes firent ce qu'il leur demandait, mais plusieurs eurent grand-peine à se séparer de lui. Elles se retournèrent souvent pour le regarder s'en aller. Il avait ramassé un bâton au bord du chemin, il allait du pas régulier d'un homme robuste parti pour cheminer longtemps. Il n'était vêtu que de son suaire où le vent et la lumière du ciel jouaient. Et quand les pans se soulevaient, on avait l'impression que Jésus ouvrait de grandes ailes pour s'envoler.

75

Jésus cheminait depuis un bon moment lorsqu'il vit déboucher d'un sentier deux disciples qui habitaient le village d'Emmaüs où ils s'en allaient porter la nouvelle de sa crucifixion. Sans doute allaient-ils le reconnaître. Mais non. Ils le regardèrent un peu troublés. Puis ils se remirent à marcher, l'air accablé. Jésus se dit que ce qu'il avait enduré avait beaucoup altéré ses traits. Il leur parla, sûr qu'ils reconnaîtraient sa voix. Mais même sa voix était différente.

— Vous semblez bien affligés.

Les deux disciples le dévisagèrent encore.

— Tu ne connais donc pas l'affreuse nouvelle ?

— De quoi veux-tu parler ?

— Ils ont torturé, crucifié, mis à mort Jésus de Nazareth, notre bon maître.

— Mais votre maître n'avait-il pas annoncé qu'il ressusciterait ?

— Il l'avait promis, en effet, fit le plus vieux des deux. Et nous avions vraiment le cœur plein d'une belle espérance. Hélas ! Il y a plus de trois jours qu'il a été mis au tombeau. Le bruit s'est répandu de sa résurrection, mais nous ne savons rien de précis. La peur nous habite.

Le plus jeune ajouta :

— Nous le croirons vivant quand nous le verrons, quand nous l'entendrons nous parler de son Père.

— Hommes de peu de foi ! Il vous faudra donc mettre la main dans ses plaies pour être certains de le reconnaître...

Les deux amis parurent inquiets. Toutefois, le plus vieux proposa :

— J'ai beau ne pas te connaître, ton regard droit me plaît. Veux-tu t'arrêter chez nous et partager notre repas ?

Jésus qui avait grand-faim accepta. Ils entrèrent dans Emmaüs et pénétrèrent chez le plus âgé où une femme leur servit à manger. Dès qu'elle eut apporté le pain, Jésus le bénit au nom de son Père, le rompit et le leur tendit. Quand ils l'eurent pris, il ouvrit largement ses bras et montra ses poignets où saignaient encore les plaies laissées par les clous. Aussitôt, les disciples le reconnurent et se prosternèrent à ses pieds.

— Relevez-vous, ordonna Jésus. Mangez et buvez, et soyez dans la joie !

Ils se redressèrent. Tous deux pleuraient de bonheur et la femme qui les avait servis pleurait avec eux en remerciant le ciel.

76

Le premier lieu que Jésus eut envie de revoir fut Nazareth. La route était longue mais, pour lui qui ignorait la fatigue, ce n'était rien. Il marchait en priant. Il traversait les villages en bénissant les enfants. La nouvelle de sa mort n'était pas encore arrivée jusque-là, et ceux qui le reconnaissaient étaient heureux de le voir. On lui parlait de Joseph qui avait laissé partout le souvenir d'un fameux compagnon. On lui montrait les charpentes qu'il avait montées et qui défiaient les années.

Jésus se disait fier d'avoir été élevé et formé au métier du bois par un homme de cette trempe.

On aimait à partager avec lui le pain et le vin de l'amitié.

À Nazareth, il fut un peu déçu de découvrir que la maison de son enfance et l'atelier où il avait œuvré avec Joseph n'étaient plus là. Un nouveau venu dans le pays les avait fait raser pour édifier à la place une demeure luxueuse et d'une grande laideur. Comme il s'en approchait, des gardes armés le chassèrent en criant :

— Passe au large ! Pas de mendiant ici !

Jésus s'éloigna et ne fit que traverser Nazareth le plus vite possible. Il lui semblait que ce village le rejetait comme un étranger animé de mauvaises intentions.

Marchant plus lentement, comme s'il eût porté sur ses épaules la très lourde charge d'un passé pénible à regarder, il se dirigea vers le lac de Tibériade. Il savait que ses amis viendraient là.

Comme il avait beaucoup d'avance sur eux, il entreprit de faire le tour de ce lac qu'il avait toujours beaucoup aimé. Tout au long de son chemin, il rencontra des pêcheurs et des paysans qui lui offraient des poissons et des fruits. Il s'entretenait avec eux de leurs travaux et retrouvait à travers leurs propos ce qu'il avait aimé chez Marie et Joseph durant toute sa jeunesse. Il se rendit compte que c'était avec ces gens-là qu'était la vraie vie.

Un matin qu'il cheminait sur une longue plage de sable, il vit venir à lui une barque où il reconnut Pierre, Jean et trois autres de ses disciples.

— Alors, leur cria-t-il, la pêche est-elle bonne ?

— Non. Nous avons pêché toute la nuit sans rien prendre.

— Jetez votre filet par tribord et il se remplira.

Comme les pêcheurs hésitaient, fatigués d'avoir tant peiné en vain, il leur cria :

— Faites ce que je vous dis et vous serez satisfaits.

Ils ne l'avaient pas reconnu car il se trouvait à contre-jour, mais cette voix les troubla. Ils prirent le filet qu'ils lancèrent à tribord. Quand ils le retirèrent, il était si lourd qu'ils durent ramer en le traînant jusqu'à la rive pour le sortir de l'eau. Et Jean leur dit :

— C'est notre Seigneur, ce ne peut être que lui !

Ayant tiré leur pêche sur le rivage, ils se jetèrent aux pieds de Jésus qui les bénit et demanda :

— Me donnerez-vous à manger ?

— Oui, Seigneur, mais nous n'avons que du poisson.

— Eh bien moi, j'ai apporté le pain et le vin, et j'ai allumé le feu pour cuire le poisson.

Entre des pierres, un beau lit de braises ardentes attendait leur pêche. Ils prirent place autour du feu et tous contemplaient Jésus avec une joie profonde. Lui, comme si leur rencontre eût été naturelle, prévue et organisée depuis longtemps, cuisait les poissons, rompait le pain et versait le vin. Ils firent un bon repas et il leur restait encore beaucoup de poisson. Jésus leur ordonna :

— Vous le donnerez aux pauvres.

Puis, s'adressant à Pierre, il lui dit :

— Je veux que tu sois le pasteur de mon troupeau. Et ceux qui refuseront de te reconnaître comme leur pasteur ne feront pas partie de mes fidèles.

Puis, se tournant vers les autres, il ajouta :

— Allez ! Parcourez le monde et portez la bonne parole. Portez l'annonce de ma résurrection. Baptisez les enfants au nom du Père, du Fils et du Saint-Esprit. Et souvenez-vous toujours que je suis avec vous et avec vos enfants jusqu'à la fin des temps.

Il les baisa tous au front et tous purent sentir que sa lèvre était brûlante. Jamais ils ne lui avaient vu un regard aussi profond.

— À présent, leur dit-il, laissez-moi rejoindre le Royaume de mon Père où nous nous retrouverons tous pour le Jugement dernier.

Il fit demi-tour et s'en alla. Ils le suivirent des yeux très longtemps ; jusqu'au moment où, alors qu'il parvenait au sommet d'une montagne, ils eurent l'impression que son suaire s'envolait vers le ciel où tournait une colombe qui portait en son bec un rameau d'olivier.

Capian, Noël 1994
Pentecôte 1995
Premier dimanche de l'Avent 1995
Jeudi de l'Ascension 1996

TABLE DES MATIÈRES

OUVRAGES DE BERNARD CLAVEL

Aux éditions Robert Laffont

ROMANS

L'Ouvrier de la nuit.
Pirates du Rhône.
Qui m'emporte.
L'Espagnol.
Malataverne.
Le Voyage du père.
L'Hercule sur la place.
Le Tambour du bief.
Le Seigneur du fleuve.
Le Silence des armes.

LA GRANDE PATIENCE :
1. La Maison des autres ;
2. Celui qui voulait voir la mer ;
3. Le Cœur des vivants ;
4. Les Fruits de l'hiver, *Prix Goncourt 1968.*

LES COLONNES DU CIEL :
1. La Saison des loups ;
2. La Lumière du lac ;
3. La Femme de guerre ;
4. Marie Bon Pain ;
5. Compagnons du Nouveau-Monde.

L'Espion aux yeux verts (nouvelles).
Le Carcajou.

ESSAIS

Le Massacre des innocents.
Lettres à un képi blanc.

JEUNESSE

Victoire au Mans (collection « Plein Vent »).
Le Voyage de la boule de neige (collection « Dauphin Bleu »).

Chez d'autres éditeurs

ROMANS

Thiennot, *J'ai lu.*

LE ROYAUME DU NORD, *Albin Michel :*
1. Harricana ;
2. L'Or de la terre ;
3. Miséréré ;
4. Amarok ;
5. L'Angélus du soir ;
6. Maudits sauvages.

Quand j'étais capitaine, *Albin Michel.*
Meurtre sur le Grandvaux, *Albin Michel.*
La Révolte à deux sous, *Albin Michel.*
Cargo pour l'enfer, *Albin Michel.*
L'Homme du Labrador, *Albin Michel.*
Les Roses de Verdun, *Albin Michel.*

ALBUMS, ESSAIS

Le Royaume du Nord (photos J.-M. Chourgnoz),
Albin Michel.
Je te cherche, vieux Rhône, *Actes Sud.*
Arbres (photos J.-M. Curien), *Berger-Levrault.*
Bernard Clavel, qui êtes-vous ?
(en coll. avec Adeline Rivard), *J'ai Lu.*
Léonard de Vinci, *Bordas.*
Fleur de sel (photos Paul Morin), *Le Chêne.*
Contes espagnols (illustrations August Puig), *Choucas.*
Terres de mémoire, *J'ai Lu.*
L'Ami Pierre (photos J.-Ph. Jourdin), *Duculot.*
Bonlieu (dessins J.-F. Reymond), *H.R. Dufour.*
Célébration du bois, *Norman C.L.D.*
Écrit sur la neige, *Stock.*
Paul Gauguin, *Sud-Est.*

JEUNESSE

L'Arbre qui chante, *La Farandole.*
A. Kénogami, *La Farandole.*
L'Autobus des écoliers, *La Farandole.*
Le Rallye du désert, *La Farandole.*
La Maison du canard bleu, *Casterman.*
Le Chien des Laurentides, *Casterman.*
Le Hibou qui avait avalé la lune, *Clancier-Guénaud.*
Odile et le vent du large, *Rouge et Or.*
Félicien le fantôme (en coll. avec Josette Pratte), *Delarge.*
Rouge Pomme, *L'École.*
Poèmes et comptines, *École des Loisirs.*
Le Mouton noir et le loup blanc, *Flammarion.*
L'Oie qui avait perdu le Nord, *Flammarion.*
Au cochon qui danse, *Flammarion.*
Légendes des lacs et rivières, *Hachette.*
Légendes de la mer, *Hachette.*
Légendes des montagnes et des forêts, *Hachette.*
Légendes du Léman, *Hachette.*
La Saison des loups (bande dessinée par Malik),
Claude Lefranc.
Le Grand Voyage de Quick Beaver, *Nathan.*
La Cane de Barbarie, *Seuil.*
Le Roi des poissons, *Albin Michel.*

La plupart des ouvrages de Bernard Clavel
ont été repris par des clubs et en format de poche.

Cet ouvrage a été réalisé par la
SOCIÉTÉ NOUVELLE FIRMIN-DIDOT
Mesnil-sur-l'Estrée
pour le compte des Éditions Robert Laffont
24, avenue Marceau, 75008 Paris
en septembre 1996

Composition réalisée
par S.C.C.M. - Paris XIIᵉ.

Imprimé en France
Dépôt légal : octobre 1996
N° d'édition : 37325 - N° d'impression : 35898